French

Intensive Languag

D1458264

Thiri win - 5G (Y5)
53 Barry Road stonebridge
London NW10 8DE

FRENCH

INTENSIVE LANGUAGE COURSE

Accompanying Book

© Tigris Verlag in the VEMAG Verlags- und Medien Aktiengesellschaft, Köln
Author: Antony J. Peck
Production: VEMAG Verlags- und Medien Aktiengesellschaft, Köln
All rights reserved
ISBN 3-632-98874-9

Forward

This language course is aimed at all who wish to learn their first words of French or who would like to refresh their long-forgotten knowledge of the language. The course can serve equally well as preparation for a holiday or a business trip to France since the basic situations, in which one has to cope with the language, are the same.

A commission from the Council of Europe has listed in its recommendations for the teaching of foreign languages all the situations, which one has to deal with in order to "survive" in a foreign country. In addition to this, all aspects of the language (vocabulary, idiomatic expressions and structures), which one needs to maintain a conversation in these situations, were brought together.

The guidelines, for the teaching of French during the first few years of study in schools, also follow extensively the recommendations of the Council of Europe. Therefore this course is very suitable as an accompaniment to lessons for pupils and participants of evening classes to improve listening comprehension skills and speaking skills in French.

In this language course the spoken word is at the forefront. You should quickly be put in the position where you have to cope linguistically with the most important basic situations in the areas of service industry (shopping, travelling, restaurants, hotel reservations etc.). On the other hand, you should also be a position to make contact on a social level with acquaintances or business colleagues, thus talking about family, living conditions, interests etc. Lively, authentic dialogues lead you right into the French-speaking world without expecting too much of you. You will understand immediately everything you read, hear and say, as it is always translated into English as well.

This course was designed to be a self-study course. It has been tested and approved as a correspondence course. Its material can therefore also be introduced and used for a distance-learning course.

This language course is produced with CDs as well as audio cassettes. For the sake of simplicity in the individual units, the term cassette is also used in the CD version.

The Structure of the Course

In each of the 33 chapters (unités) you will find the following sections:

1. **Dialogues** • **Dialogues**

2. **Comment ça se dit** • **How to say it**

3. **Exercices** • **Exercises**

4. **Écoutez bien** • **Listen carefully!**

1. Dialogues • Dialogues

The dialogues contain examples of authentic speech in the form of a small conversation. Each dialogue is a pattern for how French is used in order to deal linguistically with a certain situation. So you will learn in an Unité how to ask for directions, for example, and in another Unité how to talk about hobbies and interests. In the second column you will find line for line an English translation of the dialogue. With the help of the translation you can be sure at all times that you understand what you hear. The translation is not always word for word but it gives the gist of the English equivalent. A word for word translation has been added in brackets where a literal translation can help you to understand the French structure better and to see its construction clearly.
Particular difficulties for English-speaking learners are explained in the mnemonic sentences after the dialogues. There you will also find references to grammatical regularities.

2. Comment ça se dit • How to say it

You will find in these sections, which appear in each Unité, a compilation of the expressions that you should learn, in order to cope in French with situations similar to those presented in the dialogues. As a rule, these expressions are presented in the form of sentence structure tables. With the help of these tables you can easily recognise how the sentence patterns can be varied as regards content.
Linguistic peculiarities or grammatical regularities are indicated again in the mnemonic boxes.

3. Exercices • Exercises

In this section, which appears in each Unité, you will find a selection of exercises. With the help of these exercises you should be able to use the learnt expressions and structures of the spoken language more fluently and with confidence. The solutions to each exercise can be found on the cassette (CD).

You should therefore always use the book and the cassette (CD) together. In addition to that, the cassette (CD) contains "gapped conversations" in which you take on a role in the dialogue. You will thus be asked to talk directly to the interlocutor on the cassette (CD) and will be able to simulate an almost authentic conversational situation.

4. Écoutez bien • Listen carefully!

The cassette (CD) 4 contains a series of short plays, reports and radio features. These listening texts have been organised in such a way that they always contain vocabulary, expressions and structures which you have not yet learnt. You should gradually get used to the fact that in a genuine conversation with French people or in radio and television programmes language will flow, which has not been so carefully selected as in the practice dialogues of a course. With the help of these listening comprehension scenes you will develop an extremely important skill for "survival", namely to listen for the information essential for you, even when you do not (yet) understand every word.

When you have carefully worked through the book and the cassettes (CDs), you will certainly be capable of coping with the **Learning Success Test** at the end of the course. The solutions to the individual tasks can be found at the end of the tests.

How do you learn best?

Step 1

For the acquisition of a foreign language it is important first of all to pick up the sound and the melody of the language and, at the same time, to grasp the meaning of what you hear. Therefore you should start by carefully reading through the column of English in the coursebook before you listen to the dialogue for the first time on the cassette (CD). You will already know what the dialogue is about and will be able to concentrate on the French that you hear. For the moment, take in the dialogue as a whole.
When listening to the dialogue for a second time you should then follow the French text in the book. If you want to check the English column again for the exact meaning of a French expression, stop the cassette (CD) by using the pause button.

Step 2

Now you should repeat the dialogue line for line. For this exercise stop the tape (the CD) after every line using the pause button. If you want to, you could also quickly rewind so that you can listen again to one or other of the expressions. When doing this be careful to imitate the pronunciation and the intonation as much as you possibly can. When you are sure that you can repeat the dialogue, read it again out loud. If, at the same time, you speak the dialogue onto a cassette, you will be able to make a very good comparison between your own pronunciation and the example on the course cassette (CD).

Step 3

You should try next to memorise the most important expressions which are used in the dialogues. A summary of these expressions can be found in each chapter under the title "Comment ça se dit – How to say it". Read the sentences through carefully and think about their precise meaning. You might also like to listen once more to those particular parts of the dialogues in order to be reminded of the exact pronunciation of the individual sentences and phrases. Look at the explanations under the dialogues or idioms as well: here you will find guidance regarding the correct use of certain expressions and also simple grammatical rules, which will help you to recognise the regularities that form the basis of the French language.

Step 4

Now you should put into practise what you have learnt yourself by doing the simple tasks in the section "Exercices – Exercises". In most exercises you imitate a short role play. To do this task, read the instructions through thoroughly so that you know exactly for which purpose you can use the practice sentences.

You will find on the cassette (CD) or in the Answer Section of the coursebook the solutions to the exercises. Work through the exercises sentence by sentence in three steps:

- Say the answer out loud to yourself.
- Then listen to the corresponding answer on the cassette (CD), or check in the Answer Section, and compare your answers.
- You will find that there is a short pause included after each solution on the cassette (CD), in which you can then say the correct answer once more. Moreover, should you want to think about it again or if the gap on the cassette is not long enough, use the pause button in order to stop the tape (CD).

Again, at this stage, pay close attention to the speaker's pronunciation and intonation and try to imitate these as much as possible. During a second attempt you should be able to work through the exercise more freely and quickly. It is also recommended again here that you speak your answers onto a cassette, so that you can then make comparisons once more with the example on the course cassette (CD) if necessary.

Step 5

Next, listen once again to the dialogues from the corresponding chapter. You will notice that most sentences and phrases are so familiar to you now that you will understand their meaning without too much trouble.

When you speak to French people however, you cannot expect to hear the exact idiomatic phrases and vocabulary that you have learnt. It is therefore important then to get used to listening out for and understanding the essential information, even if you do not comprehend every single word. That is the reason why you will find in the second half of this course an additional listening text to listen to for Step 5. The listening text is structured in such a way that you hear only a few and then increasingly more vocabulary and phrases, which you have not yet learnt. Nevertheless, try to listen out for some important pieces of information using the questions given. Do not be discouraged if you are unable to answer the questions straight away. Listen to the text once more, maybe rewinding certain sentences, until you understand, with the help of vocabulary and phrases already learnt, what you are being asked for.

Step 6

Finally, try to do the Learning Success Test at the end of the book. If you have worked carefully through the book and the cassettes (CDs), this test will not present you with any more difficulties. You will find the answers to the exercises at the end of the test.

Advice for using CD-version

In order to find the dialogues, exercises or listening texts for individual chapters separately and directly, key in the relevant number from the following list:

CD 1
01: Unité 1, Dialogues
02: Unité 1, Exercices
03: Unité 2, Dialogues
04: Unité 2, Exercices
05: Unité 3, Dialogues
06: Unité 3, Exercices
07: Unité 4, Dialogues
08: Unité 4, Exercices
09: Unité 5, Dialogues
10: Unité 5, Exercices
11: Unité 6, Dialogues
12: Unité 6, Exercices
13: Unité 7, Dialogues
14: Unité 7, Exercices
15: Unité 8, Dialogues
16: Unité 8, Exercices
17: Unité 9, Dialogues
18: Unité 9, Exercices

CD 2
01: Unité 10, Dialogues
02: Unité 10, Exercices
03: Unité 11, Dialogues
04: Unité 11, Exercices
05: Unité 12, Dialogues
06: Unité 12, Exercices
07: Unité 13, Dialogues
08: Unité 13, Exercices
09: Unité 14, Dialogues
10: Unité 14, Exercices
11: Unité 15, Dialogues
12: Unité 15, Exercices
13: Unité 16, Dialogues
14: Unité 16, Exercices
15: Unité 17, Dialogues
16: Unité 17, Exercices
17: Unité 18, Dialogues
18: Unité 18, Exercices
19: Unité 19, Dialogues
20: Unité 19, Exercices

CD 3
01: Unité 20, Dialogues
02: Unité 20, Exercices
03: Unité 21, Dialogues
04: Unité 21, Exercices
05: Unité 22, Dialogues
06: Unité 22, Exercices
07: Unité 23, Dialogues
08: Unité 23, Exercices
09: Unité 24, Dialogues
10: Unité 24, Exercices
11: Unité 25, Dialogues
12: Unité 25, Exercices
13: Unité 26, Dialogues
14: Unité 26, Exercices
15: Unité 27, Dialogues
16: Unité 27, Exercices
17: Unité 28, Dialogues
18: Unité 28, Exercices
19: Unité 29, Dialogues
20: Unité 29, Exercices
21: Unité 30, Dialogues
22: Unité 30, Exercices
23: Unité 31, Dialogues
24: Unité 31, Exercices
25: Unité 32, Dialogues
26: Unité 32, Exercices
27: Unité 33, Dialogues
28: Unité 33, Exercices

CD 4
01: Scénette 1, 1ère partie
02: Scénette 1, 2me partie
03: Scénette 1, 3e partie
04: Scénette 1, 4e partie
05: Scénette 1, 5e partie
06: Scénette 1, 6e partie
07: Scénette 1, 7e partie
08: Scénette 1, 8e partie
09: Scénette 2, 1ère partie
10: Scénette 2, 2me partie
11: Scénette 2, 3e partie
12: Scénette 2, 4e partie
13: Scénette 3, 1ère partie
14: Scénette 3, 2me partie
15: Scénette 3, 3e partie
16: Scénette 3, 4e partie
17: Scénette 4, 1ère partie
18: Scénette 4, 2me partie
19: Scénette 4, 3e partie
20: Scénette 4, 4e partie
21: Scénette 5, 1ère partie
22: Scénette 5, 2me partie
23: Scénette 5, 3e partie

List of content

Appendices

Rencontres · Meeting

In this unit you will learn

- how to ask for names, addresses and telephone numbers
- how to ask for the spelling of a name or a word
- how to give this information about yourself

Dialogues · Dialogues

Dialogue 1   Thérèse Saunier (TS), réception (R)

R :	Bonjour, Madame.	*Hello.*
TS :	Bonjour. Je m'appelle Saunier.	*Hello. My name is Saunier.*
R :	Madame Saunier ... Vous avez réservé ?	*Saunier ... Have you reserved?*
TS :	Oui.	*Yes.*
R :	Comment ça s'écrit, Madame ?	*How is that spelt?*
TS :	S-A-U-N-I-E-R.	*S-A-U-N-I-E-R.*
R :	Ah, oui, Madame Saunier.	*Ah, yes, Mrs Saunier.*

Notice that the French very often form a question just by using a certain intonation. The word order is the same as in a statement and the voice goes up a bit at the end of the sentence. Question words such as qui, quel, où, comment etc. are put at the beginning of the sentence. Have a look at dialogue 2.

Dialogue 2   Jacqueline Couboules (JC), un collègue (C)

C :	Où habitez-vous ?	*Where do you live?*
JC :	J'habite à la Défense.	*I live in La Défense.*
C :	Quelle est votre adresse ?	*What is your address?*
JC :	21, rue du Tintorêt.	*21, rue du Tintorêt.*
C :	Vous avez le téléphone ?	*Do you have a telephone?*
JC :	Oui.	*Yes.*
C :	Quel est votre numéro ?	*What is your number?*
JC :	C'est le 21.13.42.18.	*21.13.42.18.*

21, rue du Tintorêt

Notice that the French also say the house number first and then the name of the street.

Rencontres • Meeting

Dialogue 3   Frédéric Saunier (FS), ancien collègue (C)

C :	Vous habitez toujours à Mirepoix ?	*Do you still live in Mirepoix?*
FS :	Oui, toujours.	*Yes, I still do.*
C :	Quelle est votre adresse ?	*What is your address?*
FS :	29, rue Pasteur.	*29, rue Pasteur.*
C :	Quel est votre numéro de téléphone ?	*What is your telephone number?*
FS :	C'est le 12.53.21.33 à Mirepoix.	*12.53.21.33 in Mirepoix.*

Dialogue 4   Jean-Pierre Teindas (JPT), André Clergues (AC),
Jacqueline Couboules (JC)

JPT :	Vous connaissez Madame Couboules ?	*Do you know Mrs Couboules?*
AC :	Non. Je ne crois pas.	*No. I don't think so.*
JPT :	Madame Couboules, je vous présente André Clergues.	*Mrs Couboules, may I introduce you to André Clergues?*
AC :	Bonjour, Madame.	*Hello.*
JC :	Bonjour, Monsieur Clergues. Très heureuse de faire votre connaissance. Comment allez-vous ?	*Hello, Mr Clergues. It's nice to meet you. How do you do?*
AC :	Bien, merci, et vous ?	*Fine, thank you. How do you do?*
JC :	Bien, merci.	*Fine, as well, thank you.*

Très heureuse de faire votre connaissance.

Jacqueline says: "très **heureuse** de faire votre connaissance" – with the feminine ending **-se** because she is a woman. A man would say: "**heureux** de faire votre connaissance".

Comment ça se dit • How to say it

1. Comment demander le nom de quelqu'un.
How to ask someone their name.

Comment	vous appelez-vous ? t'appelles-tu ?

–

Quel est	votre ton	nom ?

(Je m'appelle)	Saunier. André Clergues.

Vous (votre)
The **vous**-form is used to address people you do not know.

Tu (ton)
The **tu**-form is used to address friends, children and family members.

2. Comment demander à quelqu'un d'épeler un mot.

How to ask somebody to spell a word.

Comment ça s'écrit ? – S-A-U-N-I-E-R

3. Comment demander l'adresse de quelqu'un.

How to ask somebody where they live.

Quelle est votre adresse ? –	J'habite à	Paris. Mirepoix.
Où habitez-vous ? –	J'habite	21, rue du Tintorêt. 75, avenue Gambetta.

4. Comment adresser la parole à quelqu'un.

How to address someone.

Excusez-moi, Pardon, S'il vous plaît,	Monsieur. Madame. Mademoiselle.

When French people do not know each other personally, they always address each other as **Monsieur** or **Madame**. Young, unmarried women are addressed as **Mademoiselle**, the equivalent to the English Miss.

Exercices • Exercises

Exercice 1

Écoutez comment se prononcent les lettres de l'alphabet et répétez-les. Puis épelez les noms suivants.

Listen to the pronunciation of the letters of the alphabet on the cassette and repeat them. Then spell the following names.

Mermet, Guilbert, Reverchon, Cathelat, Jolibois, Drouault, Jaillard, Moreau, Denain, Pagès, Laforêt, Chédeau, Limaçon.

Rencontres • Meeting

 Accents
In French there are the following accents:
´ **accent aigu;** ` **accent grave;** ^ **accent circonflexe;** ˛ **cédille.**

Vérifiez vos réponses en écoutant la cassette.	*Check your answers with the help of the cassette.*
Puis, épelez votre propre nom de famille.	*Now spell your surname.*

Exercice 2

Écoutez comment se prononcent les chiffres et répétez-les.	*Listen to the pronunciation of the numbers on the cassette and repeat them.*

1, 2, 3, 4, 5, 6, 7, 8, 9, 10,
11, 12, 13, 14, 15, 16, 17, 18, 19, 20,
21, 22, 23, 24, 25, 26, 27, 28, 29, 30,
31, 42, 53, 64, 75, 86, 97, 98, 99, 100,
101, 102, 103 104, 105, 106, 107, 108, 109, 110,
111, 112, 113, 114, 115, 116, 117, 118, 119, 120,
121, 132, 143, 154, 165, 176, 187, 198, 200, 300, 400, 500, 1000.

Imaginez que vous êtes, à tour de rôle, une des personnes ci-dessous. Dites votre nom; épelez-le; et donnez votre adresse et votre numéro de téléphone.	*Imagine you are one of the people named below, one by one. Say your name, spell it and give your address and telephone number.*

 In France, there are no dialling codes for the different towns. The only exception to this is Paris, which has the code 1. Unlike English, telephone numbers are usually said two digits at a time, so 21 will be said as twenty-one instead of two, one.

Pierre Lambert	Xavier Boubat	Solange Bresson
80, rue Sénac	60, rue de Bercy	130, avenue Charles de Gaulle
13001 Marseille	75012 Paris	92522 Neuilly-sur-Seine
Tél. : 92.43.21.88	Tél. : 46.62.21.11	Tel. : 41.27.36.36
Sophie Vargues	Patrice Billon	Louise Giraudou
26, route de Bordeaux	89, rue Gabriel Péri	25, place de Villiers
16000 Angoulême	92120 Montrouge	93000 Montreuil
Tél. : 49.91.63.05	Tél. : 36.59.01.65	Tél. : 41.30.65.64

Vérifiez vos réponses en écoutant la cassette. Puis, donnez votre propre nom, adresse, et numéro de téléphone.

Check your answers with the help of the cassette. Now give your own name, address and telephone number.

The French postcode consists of five numbers. As a rule, large towns have postcodes with 3 noughts on the end, for example, **Marseilles 13000**. In this case the French say **treize mille**, *thirteen thousand*. Smaller towns and villages have five different numbers in their postcodes, for example, **Neuilly-sur-Seine 92522**. With these postcodes you say the first two numbers together, **92 quatre-vingt-douze**, *ninety-two* and then the next three together, **522 cinq cent vingt deux**, *five hundred and twenty-two*. The first two digits indicate the number of the **Département**.

Exercice 3

Écoutez la conversation suivante. Il manque certaines phrases. Répondez aux questions en utilisant l'information a), l'information b) et l'information c).

Listen to the following gapped conversation on the cassette and answer the questions by using the information in a), b) and c).

Un collègue : Bonjour. Où habitez-vous ?
Vous :   ...
Un collègue : Vous avez le téléphone ?
Vous :   ...
Un collègue : Quel est votre numéro ?
Vous :   ...

Information a)
Vous habitez Paris; 13, rue Delarivière-le-Foullon, La Défense. Votre numéro de téléphone est le 37.65.42.22.

Information b)
Vous habitez 21, avenue Montaigne, Paris. Votre numéro de téléphone est le 38.02.19.75.

Information c)
Vous habitez 13, rue Victor Hugo, Courbevoie. Votre numéro de téléphone est le 34.24.43.39.

Vérifiez vos réponses en écoutant la cassette.

Check your answers with the help of the cassette.

UNITÉ 2	**Salutations · Greetings**

In this unit you will learn
- how to introduce somebody
- how to greet someone
- how to ask someone for their date of birth and how to say it

Dialogues · Dialogues

Dialogue 1   Alain Couboules (AC), Jacqueline Couboules (JC), Monsieur Dubois (D)

AC :	Bonsoir, Monsieur Dubois. Soyez le bienvenu à Paris.	*Good evening, Mr Dubois. Welcome to Paris.*
D :	Merci beaucoup.	*Thank you.*
AC :	Je vous présente ma femme, Jacqueline.	*This is my wife, Jacqueline. (I introduce to you …)*
JC :	Bonsoir. Comment allez-vous ?	*Good evening. How do you do?*
D :	Bien, merci.	*Very well, thank you.*

Dialogue 2   Madame Saunier (TS), un voisin (V)

V :	Bonjour, Madame Saunier. Comment ça va ?	*Hello, Mrs Saunier. How are you?*
TS :	Très bien, merci. Et vous ?	*Very well, thank you. And you?*
V :	Pas très bien. J'ai mal dormi.	*Not very well. I slept badly.*
TS :	Je suis désolée de l'apprendre.	*I'm sorry about that. (I'm sorry to hear that)*

Je suis désolée
A man says: "Je suis **désolé**." A woman says: "Je suis **désolée**." The difference, however, cannot be heard.

Dialogue 3   Jean-Pierre Teindas (JPT), Sylvie Guillon (SG), Monsieur Dubois (D)

JPT :	Sylvie, je te présente Monsieur Dubois. Monsieur Dubois, je vous présente Sylvie.	*Sylvie, this is Mr Dubois. (I introduce to you Mr Dubois.) Mr Dubois, this is Sylvie. (I introduce to you Sylvie.)*
D :	Enchanté, Mademoiselle.	*It's a pleasure.*
SG :	Très heureuse de faire votre connaissance.	*It's nice to meet you. (I'm very happy to make your acquaintance.)*

Comment ça se dit · How to say it

1. Comment présenter quelqu'un.
How to introduce somebody

Je	te vous	présente	Jean-Pierre. Monsieur Dubois. ma femme. mon mari.

mon	–	for masculine nouns or people, e.g.: **mon** mari.
ma	–	for feminine nouns or people, e.g.: **ma** femme. Also used if the nouns begins with a vowel, e.g.: adresse, you always say **mon**, e.g.: **mon** adresse.
mes	–	for nouns or people in the plural, e.g. **mes** parents, **mes** réponses.

2. Comment saluer quelqu'un.
How to greet someone.

Greeting	Answer
Bonjour	– Bonjour (also means: *Good Morning*)
Bonsoir	– Bonsoir
Bonne nuit	– Bonne nuit *(Goodnight)*
Salut	– Salut (between friends and acquaintances)
Comment allez-vous ?	– Très bien, merci.
Comment ça va ?	– Bien, et vous ?
Ça va ?	– Pas mal, merci. (*Not bad, thank you.* Said between friends and acquaintances)

3. Comment dire au revoir à quelqu'un.
How to say goodbye to someone.

Au revoir !	*Goodbye (See you again).*
À bientôt !	*See you soon.*
À tout à l'heure !	*Till then.*
À plus tard !	*See you later.*

4. Comment connaître la date de naissance de quelqu'un.

How to ask someone for their date of birth.

| C'est quand,
Quelle est | ton | anniversaire ?
date de naissance ? |

| C'est
Je suis né(e) | le treize
le douze
le vingt | janvier.
décembre.
mars. |

Unlike English, the French use cardinal numbers instead of ordinal numbers when saying their date of birth.

The ordinal numbers are usually formed by adding **-ième** to the end of the number. (See exercise 2.)

Exercices · Exercises

Exercice 1

Écoutez comment se prononcent les mois de l'année et répétez-les.

Listen to the pronunciation of the names for the months and repeat them.

janvier	avril	juillet	octobre
février	mai	août	novembre
mars	juin	septembre	décembre

Exercice 2

Écoutez comment se prononcent les chiffres et répétez-les. Vous entendrez d'abord les nombres cardinaux et ensuite les nombres ordinaux.

Listen to the numbers on the cassette and repeat them. You will hear the cardinal numbers first and then the ordinal numbers.

un/une	premier/première	dix	dixième
deux	deuxième/second(e)	onze	onzième
trois	troisième	douze	douzième
quatre	quatrième	treize	treizième
cinq	cinquième	quatorze	quatorzième
six	sixième	quinze	quinzième
sept	septième	seize	seizième
huit	huitième	dix-sept	dix-septième
neuf	neuvième	dix-huit	dix-huitième

dix-neuf	dix-neuvième	vingt-neuf	vingt-neuvième
vingt	vingtième	trente	trentième
vingt et un	vingt et unième	trente et un	trente et unième
vingt-deux	vingt-deuxième	quarante	quarantième
vingt-trois	vingt-troisième	cinquante	cinquantième
vingt-quatre	vingt-quatrième	soixante	soixantième
vingt-cinq	vingt-cinquième	soixante-dix	soixante-dixième
vingt-six	vingt-sixième	quatre-vingt	quatre-vingtième
vingt-sept	vingt-septième	quatre-vingt-dix	quatre-vingt-dixième
vingt-huit	vingt-huitième	cent	centième

Exercice 3

Écoutez comment se prononcent les années et répétez-les !

Listen to the pronunciation of the years on the cassette and repeat them.

1930, 1940, 1950, 1960, 1970,
1980, 1990,
1931, 1942, 1953, 1964, 1975, 1986, 1997,
1939, 1945, 1989, 1990,

Exercice 4

Écoutez la conversation suivante; il manque certaines phrases. Répondez aux questions en utilisant l'information a) et l'information b).

Listen to the following gapped conversation on the cassette and answer the questions. Use the information in a) and b) for this exercise.

Information a)
Emmanuelle Moreau
3.1.59

Information b)
François Dervy
29.5.63

Réception : Bonjour, Madame/Monsieur. Quel est votre nom de famille, s'il vous plaît ?
Vous : ...
Réception : Et votre prénom ?
Vous : ...
Réception : Et votre date de naissance ?
Vous : ...
Réception : Merci beaucoup. (Je vous remercie.) Asseyez-vous Madame/Monsieur.

Vérifiez vos réponses en écoutant la cassette.

Check your answers with the help of the cassette.

Nationalité · Nationality

In this unit you will learn

- How to ask about nationality
- How to ask where someone is from
- How to give this information about yourself

Dialogues · Dialogues

Dialogue 1 Thérèse Saunier (TS), réception (R)

TS :	Bonjour.	*Hello.*
R :	Bonjour, Madame.	*Hello.*
TS :	Je m'appelle Saunier.	*My name is Mrs Saunier.*
R :	Oui, Madame. Quelle est votre nationalité ?	*Yes. What is your nationality, please?*
TS :	Je suis française.	*I am French.*
R :	Bien. Vous avez une pièce d'identité ?	*Thank you.* *Do you have a piece of identification?*
TS :	Voici ma carte d'identité.	*Here is my identity card.*

Dialogue 2 Jean-Pierre Teindas (JPT), Sylvie Guillon (SG)

JPT :	Bonjour.	*Hello.*
SG :	Bonjour.	*Hello.*
JPT :	Vous venez d'où, Madame ?	*Where do you come from?*
SG :	Je viens de Paris.	*I come from Paris.*
JPT :	D'où exactement ?	*Where exactly?*
SG :	De Sèvres. Et vous ?	*From Sèvres. And you?*
JPT :	Je viens de Montmartre.	*I come from Montmartre.*

Dialogue 3 Alain Couboules (AC), Thérèse Saunier (TS)

AC :	Excusez-moi.	*Excuse me.*
TS :	Oui ?	*Yes?*
AC :	Vous êtes de quelle région de France ?	*Which region of France are you from?*
TS :	Je viens du Midi.	*I come from the south.*
AC :	D'où exactement ?	*Where exactly?*
TS :	De Mirepoix. J'habite à Mirepoix.	*From Mirepoix. I live in Mirepoix.*
AC :	Ah, oui. Pas loin de Toulouse ?	*Oh, really. Not far from Toulouse?*
TS :	C'est ça.	*That's right.*

Comment ça se dit • How to say it

1. Comment demander la nationalité de quelqu'un.
How to ask someone's nationality.

Quelle est votre nationalité ? –	Je suis	allemand/allemande. autrichien/autrichienne. suisse. belge. anglais/anglaise. français/française. italien/italienne.
Vous êtes de quelle nationalité ? –		

The feminine form of the adjective differs from the masculine form in that it has an extra **e** at the end of the word. If the adjective for nationality ends in **n**, e.g. **norvégien**, **italien**, **autrichien**, it becomes double **n** in the feminine form, e.g. **italie*nne*, autrichie*nne*.**

2. Comment demander le pays ou la région d'origine de quelqu'un.
How to ask where someone is from.

Vous venez d'où ? –	Je viens	du	nord sud/Midi	(de la France).
Vous êtes de quelle région de France ? – d'Allemagne ? –		de	l'est l'ouest	(de l'Allemagne).
D'où exactement ? –		de	Paris. Hambourg. Bordeaux.	

Notice that instead of **de le** the French say **du**.
E.g. le nord: je viens **du nord**.
le sud: je viens **du sud**.

– However, two vowels cannot follow each other. Therefore you do not say du est but **de l'est, de l'ouest, de l'Allemagne**.
– Also notice that the French also call the South of France **le Midi**.

Nationalité · Nationality

Exercices · Exercises

Exercice 1

Écoutez comment se prononcent les noms des régions suivantes de la France et des villes principales. Répétez-les.

Listen to the pronunciation of the following French regions and place names. Repeat them.

Grenoble
Genève
Lyon
Clermont-Ferrand
Lille
Marseille
Cannes
Montpellier
Bordeaux
Paris
Rouen
Limoges

Nîmes
Vannes
La Rochelle
Strasbourg
Poitiers
St. Malo
Orléans
Tours
Nantes
Angers
Le Havre

Exercice 2

Écoutez la conversation suivante.

Listen to the following conversation.

Monsieur : Bonjour, Madame.
Dame : Bonjour, Monsieur.
Monsieur : Vous êtes de quelle région de France ?
Dame : Je viens de Lyon.
Monsieur : D'où exactement ?
Dame : De Perrache.

Maintenant écoutez la conversation suivante; il manque certaines phrases. Dites que vous êtes des endroits ci-dessous.

Now listen to the following conversation and fill in the gaps by saying that you come from the places mentioned below.

Monsieur : Bonjour.
Vous : ...
Monsieur : Vous êtes de quelle région de France ?
Vous : ...
Monsieur : D'où exactement ?
Vous : ...

Paris – St. Cloud	Alsace – Mulhouse
Paris – St. Denis	Pays Basque – Biarritz
Languedoc-Roussillon – Montpellier	Gascogne – Pau
Bretagne – Vannes	Normandie – Rennes
Alpes-Maritimes – Nice	Guyenne – Bordeaux

Écoutez Exemple 1 et 2. Continuez selon ce modèle, et vérifiez vos réponses à la fin du livre.

Listen to the first two examples. Continue to follow this pattern and check your statements in the answer section of the book.

Exercice 3

Vous devez présenter un groupe de gens à un collègue, a une collègue. Écoutez d'abord la conversation suivante.

You have to introduce a group of people to a colleague. Listen first of all to the following conversation.

Vous :   Je vous présente Monsieur Dupont.
Une collègue : Enchantée. Soyez le bienvenu à Mirepoix.

Maintenant, présentez à tour de rôle les personnes suivantes à une collègue, un collègue :

Now introduce the following people to a colleague, one after the other.

Mademoiselle Leclerc	Monsieur Huart	Mademoiselle Murer
Monsieur Leroc	Madame Lévy	Monsieur Yaiche
Madame Bauche	Monsieur Tattevin	

Vérifiez vos réponses en écoutant la cassette.

Check your answers with the help of the cassette.

La famille · Family

In this unit you will learn
- How to ask about marital status
- How to give this information about yourself

Dialogues · Dialogues

Dialogue 1   une jeune femme (JF), un jeune homme (JH)

JF :	Vous êtes français ou belge ?	*Are you French or Belgian?*
JH :	Moi, je suis français. J'habite Lille. Et vous ?	*I'm French. I live in Lille. And you?*
JF :	Moi aussi. Je suis française.	*Me, too. I'm French.*
JH :	Vous êtes mariée ?	*Are you married?*
JF :	Non, je suis célibataire. Et vous ?	*No, I'm single. And you?*
JH :	Moi aussi.	*I am, too.*

Dialogue 2   Thérèse Saunier (TS), Alain Couboules (AC)

TS :	Monsieur Couboules. Vous êtes en vacances à Mirepoix ?	*Tell me, Mr Couboules. Are you in Mirepoix on holiday?*
AC :	Non, Madame. Je suis ici pour affaires.	*No. I'm here on business.*
TS :	Et votre femme ? Elle est avec vous ?	*And your wife? Has she come with you?*
AC :	Non, elle est restée à la maison.	*No, she's stayed at home.*
TS :	Vous avez des enfants ?	*Do you have any children?*
AC :	Bien sûr. J'ai deux filles : Soizic et Geneviève. Et vous, Madame ? Vous avez des enfants ?	*Of course. I have two daughters: Soizic and Geneviève. And you? Do you also have children?*
TS :	Oui. J'ai un fils.	*Yes. I have a son.*

Femme = *Wife*
Mari = *Husband*

Je suis ici pour affaires.

Notice that **ici** (= here) comes straight after **je suis** (= I am). In English it would be possible to say change the order, e.g.: *I'm on business here.*

La famille · Family

Comment ça se dit · How to say it

1. Comment demander si quelqu'un est marié.
How to ask if someone is married.

Vous êtes marié(e) ?	Je suis	séparé(e)	de mon mari. de ma femme.	*to live apart*
		divorcé(e). marié(e). célibataire. veuf/veuve.		*am divorced* *am married* *am single* *am widowed*

Women are either: **célibataire, mariée, separée, divorcée** or **veuve**.
Men are either: **célibataire, marié, séparé, divorcé** or **veuf**.
Only in the last case do you hear the difference.

Vous avez des	enfants ? frères ? sœurs ?	*children* *brothers* *sisters*

Vous avez combien	d'enfants ? de frères ? de sœurs ?	How many	children brothers sisters	do you have?

J'ai Nous avons	un	enfant. fils. garçon. frère.
	une	fille. sœur.
	deux trois	fils. frères. filles. sœurs.

Je n'ai pas Nous n'avons	d'enfants. de frères. pas de sœurs.

La famille · Family

Negative form

The negative form of the verb is made with **ne** and **pas**, e.g.:

Je *n'*ai pas ...	*I don't have*
Vous *n'*avez pas ...	*You don't have*
Nous *n'*avons pas ...	*We don't have*
Je *ne* suis pas ...	*I am not*

As we learnt in the last unit, two vowels cannot follow each other in French. *De* in front of *enfants* is therefore impossible.

One should say: **Vous avez combien *d'enfants*?** and: **Je *n'*ai *pas* d'enfants.**

Exercices · Exercises

Exercice 1

Écoutez la conversation suivante.   *Listen to the following conversation.*

M. Saunier : Bonsoir, Monsieur Dubois. Vous êtes ici pour affaires ?
M. Dubois : Oui. C'est ça.
M. Saunier : Votre famille est avec vous ?
M. Dubois : Oui. Ma femme est avec moi. Les enfants aussi.
M. Saunier : Vous avez combien d'enfants, Monsieur Dubois ?
M. Dubois : J'en ai deux : un fils et une fille.

J'en ai ...

The question: **Vous avez combien d'enfants?** assumes that the person being addressed has children. In the answer in French one refers to these children by using **en** (one/some/any (of them)). Literally translated Monsieur Dubois' answer means: *I have two of them: a son and a daughter.*
It is a similar case with objects, (e.g. a record), or with substances, (e.g. sugar), when these have already been mentioned, e.g.

Vous avez *du sucre*?	*Do you have any sugar.*
Oui, j'*en* ai.	*Yes, I have some.*
Vous avez *des disques*?	*Do you have any records?*
Non, je n'*en* ai pas.	*No, I don't have any (of them).*
Est-ce qu'il y a *une banque* près d'ici?	*Is there a bank near here?*
Oui, il y *en* a une, rue Victor Hugo.	*Yes, there is one (of them) in Victor-Hugo Street.*

La famille · Family

Répétez la même conversation. Parlez pour les personnes a) – d).

Now conduct the same conversation. Use the information in a) to d) for this exercise.

   a) Monsieur Binoche est à Mirepoix en vacances avec sa femme et ses deux filles.
   b) Monsieur Deneuve est ici pour affaires. Sa femme est avec lui. Ils n'ont pas d'enfants.
   c) Monsieur Funes est à Mirepoix pour affaires. Sa femme est à la maison. Ils n'ont pas d'enfants.
   d) Monsieur Depardieu est ici pour affaires. Il est seul. Sa femme est à la maison avec leur fils et leurs deux filles.

Vérifiez vos réponses en écoutant la cassette.

Check your answers with the help of the cassette.

Exercice 2

Écoutez la conversation suivante; il manque certaines phrases.

Listen to the following gapped conversation.

   Mme Trénet : Bonsoir, Monsieur Caslon …
   M. Caslon :   Oui. C'est ça.
   Mme Trénet : …
   M. Caslon :   Non, ma femme est restée à la maison avec les enfants.
   Mme Trénet : …
   M. Caslon :   Nous en avons deux : un fils et une fille.

Posez les questions de Mme Trénet. Vérifiez ce que vous avez dit en écoutant la cassette.

All of Mme Trénet's questions are missing. Ask these questions. Check what you have said with the help of the cassette.

Exercice 3

Écoutez le dialogue suivant.

Listen to the following conversation.

   Question : Vous êtes marié ?
   Réponse : Oui.
   Question : Vous avez des enfants ?
   Réponse : Oui, nous en avons un.

Répétez la même conversation. Prenez les informations a)–d)

Now conduct the same conversation. Use the information in a) to d) for this exercise.

   a) Vous avez un fils et une fille.
   b) Vous avez deux filles.
   c) Vous avez trois fils.
   d) Vous avez trois filles et un fils.

Vérifiez vos réponses en écoutant la cassette.

Check your answers with the help of the cassette.

Les courses • Shopping (1)

In this unit you will learn
- how to ask for things in shops
- how to ask for prices

Dialogues • Dialogues

Dialogue 1   Jean-Pierre Teindas (JPT), un vendeur (V)

JPT : Paris Match, s'il vous plaît.	*Paris Match, please.*
V : Voilà, Monsieur. Et avec ça ?	*Here you are. Anything else?*
JPT : La Dépêche, s'il vous plaît.	*La Dépêche, please.*
V : Bien, Monsieur.	*Yes.*
JPT : Ça fait combien ?	*What does that cost?*
V : Ça fait 3 €.	*That costs 3 €.*

Dialogue 2   Sylvie Guillon (SG), un vendeur (V)

V : Bonjour, Mademoiselle. Je peux vous aider ?	*Hello. Can I help you?*
SG : Vous avez de l'aspirine ?	*Do you have any aspirin?*
V : Voilà, Mademoiselle. Et avec ça ?	*Here you are. Anything else?*
SG : C'est tout, merci. C'est combien, s'il vous plaît ?	*That's everything, thank you. What does that cost?*
V : Ça fait 2 €.	*That costs 2 €.*

Dialogue 3   Jacqueline Couboules (JC), un vendeur (V)

V : Bonjour, Madame. Qu'est-ce qu'il vous faut ?	*Hello. What can I do for you?*
JC : Bonjour. Je voudrais deux tranches de jambon.	*Hello. I would like two slices of ham.*
V : Et avec ça ?	*Anything else?*
JC : Et une douzaine d'oeufs.	*And a dozen eggs.*
V : Bien, Madame. Et avec ça ?	*Very well. Anything else?*
JC : Je voudrais 100 grammes de beurre, et une bouteille d'huile.	*I would like 100 grams of butter and a bottle of oil.*
V : Merci, Madame. C'est tout ?	*Thank you. Is that all?*
JC : C'est tout. Ça fait combien ?	*That's all. What does that cost?*
V : Ça vous fait 8 €.	*That costs 8 €.*
JC : Voilà.	*There you are.*
V : Je vous remercie. Au revoir, Madame.	*Thank you very much. Goodbye.*
JC : Au revoir Messieurs, dames.	*Goodbye.*

Au revoir Messieurs, dames ...
When you leave a relatively small shop, you don't just say goodbye to the salesman or saleswoman but also to the other customers. They are likely to say goodbye back.

Comment ça se dit · How to say it

1. Comment demander ce que vous voulez dans un magasin.
How to say what you would like in a shop.

a) Le vendeur, la vendeuse vous demande ce que vous voulez.
The salesman or saleswoman ask you what you would like.

Je peux vous aider ?	*Can I help you?*
Qu'est-ce qu'il vous faut ?	*What can I do for you?*
Vous désirez ?	*What would you like?*

b) Vous dites ce que vous voulez.
You say what you would like.

Paris Match, La Dépêche, Un pain, Une baguette,	s'il vous plaît.

c) Vous demandez si le magasin a quelque chose que vous voulez.
You ask about something which you would like to buy.

Vous avez	Paris Match ? de l'aspirine ? des cartes postales ?

d) Vous voulez des choses qu'on peut compter séparément.
You would like items which are countable.

Je voudrais des	cartes postales. timbres (poste). fleurs.

des = *some (indefinite number)*

31

e) Vous voulez quelque chose qui se vend en quantité.
You would like something which is sold as a quantity (uncountable noun).

Je voudrais	du	thé. lait. jambon. savon. café.
	de la	bière. viande.
	de l'	huile. eau minérale.

du, de la, de l' = *some*
(quantity of something)

f) Vous voulez quelque chose qu'on achète en paquet, en boîte ou au poids.
You would like something which is sold packed, in a tin or by weight.

Je voudrais	une boîte	d'allumettes. de tomates. de sardines.
	un paquet	de spaghettis.
	une tablette	de chocolat.
	une bouteille	de vin rouge. de limonade. d'huile.
	un kilo une livre cent grammes	d'oranges. de saucisson. de beurre.

De

In French there is always **de** or **d'** between the type of packaging and the contents of the packet, like so:

Une bouteille *de* **vin blanc.**
Une boîte *de* **sardines.**

2. Comment demander le prix de quelque chose.
How to ask the price of something.

Questions

Combien ? –
C'est combien ? –
Ça fait combien ? –

Réponses

C'est	10 €.
Ça vous fait	5 € 30 centimes.

Les courses • Shopping (1)   UNITÉ 5

3. Comment dire que vous ne voulez plus rien.
How to say that you would not like anything else.

Questions   Réponses

Et avec ça ? –   C'est tout, merci.
C'est tout ? –   Merci.

Exercices • Exercises

Exercice 1

Écoutez comment se prononcent les
mots suivants et répétez-les.

*Listen to the pronunciation of the follo-
wing words and repeat them.*

des cartes postales	*postcards*	des allumettes	*matches*
des timbres poste	*postage stamps*	des cigarettes	*cigarettes*
des enveloppes	*envelopes*	des oranges	*oranges*
des fleurs	*flowers*	des pommes	*apples*

Maintenant dites que vous voulez
acheter ces choses.
Vérifiez vos réponses en écoutant
la cassette.

*Now say that you would like to buy
these things.
Check your answers with the help of the
cassette.*

Exercice 2

Écoutez comment se prononcent les
mots suivants. Répétez-les.

*Listen to how the following words are
pronounced and repeat them.*

un verre du vin	*a glass of wine*
un verre d'eau minérale	*a glass of mineral water*
une tasse de thé	*a cup of tea*
une tasse de café	*a cup of coffee*
un jus d'orange	*an orange juice*
une boîte de sardines	*a tin of sardines*
un litre de lait	*a litre of milk*
un morceau de chocolat	*a piece of chocolate*

Maintenant dites que vous voulez
acheter ces choses.
Vérifiez vos réponses en écoutant
la cassette.

*Now say that you would like to buy
these things.
Check your answers with the help of the
cassette.*

Exercice 3

Voici certaines choses dont vous aurez peut-être besoin en tant que touriste.	*Here are some things which you might need as a tourist.*

une glace à la vanille	*vanilla ice-cream*
une glace à la fraise	*strawberry ice-cream*
un guide touristique	*tourist guide*
une liste des hôtels	*hotel guide*
un peigne	*comb*
un rouge à lèvres	*lipstick*
une brosse à dents	*toothbrush*

Maintenant dites que vous voulez les acheter.	*Now say that you would like to buy them.*
Vérifiez vos réponses en écoutant la cassette.	*Check your answers with the help of the cassette.*

Exercice 4

Sylvie est à Mirepoix et elle veut acheter quelques cartes postales. Est-ce que vous pouvez reconstituer sa conversation ?	*Sylvie is in Mirepoix and would like to buy a few postcards. Can you put the conversation, which she has in the shop, into the right order?*

- C'est combien ?
- Oui, Madame.
- Je voudrais des cartes postales.
- C'est tout, merci.
- J'en prends cinq.
- Vous désirez, Madame ?
- Ça fait 2 €.
- J'ai de très belles cartes postales ici.
- Et avec ça ? Autre chose ?

Vérifiez vos réponses en écoutant la cassette.	*Check your answers with the help of the cassette.*

Les courses · Shopping (2)

In this unit you will learn
- More useful phrases which you will need when shopping.

Dialogues · Dialogues

Dialogue 1 Thérèse Saunier (TS), un vendeur (V)

TS : Une baguette, s'il vous plaît.
V : Bien cuite ou pas trop cuite ?
TS : Bien cuite, s'il vous plaît.
V : 1 €. Et avec ça ?
TS : Vous avez une tarte aux pommes ?
V : Non, Madame. Pas aujourd'hui. Je regrette.
TS : Dommage.

A baguette, please.
Well baked or lightly baked?
Well baked, please.
1 €. Anything else?
Do you have an apple tart?
No. Not today. Sorry.

Shame.

Une baguette
Bread is different in every country. In France it is best to buy fresh bread straight out of the oven. French bread is long and thin. **Une baguette** is 80 centimetres long and weighs 250 grams.

Dialogue 2 Alain Couboules (AC), le garçon (G)

G : Vous désirez, Monsieur ?
AC : Un Cinzano.
G : Un Cinzano.
AC : Et un verre de vin blanc.
G : Merci, Monsieur.
AC : Ça fait combien ?
G : Ça fait 4 €.

What would you like?
A Cinzano.
One Cinzano.
And a glass of white wine.
Thank you.
What does that cost?
That costs 4 €.

Un Cinzano
Cinzano is an Italian Vermouth. Other types of Vermouth, which are drunk in France, are **Noilly Prat, Martini, Suze.**

Dialogue 3 Jacqueline Couboules (JC), une vendeuse (V)

V : Je peux vous aider, Madame ?
JC : Non, merci. Je regarde seulement.

Can I help you?
No, thank you. I'm only looking.

35

Les courses · Shopping (2)

Dialogue 4   Sylvie Guillon (SG), employé (E)

SG :	Excusez-moi. Vous pouvez me donner un renseignement ?	*Excuse me. Could you give me some information?*
E :	Certainement.	*Of course.*
SG :	C'est combien un timbre pour l'Allemagne ?	*What does a postage stamp for Germany cost?*
E :	Lettre ou carte postale ?	*A letter or a postcard?*
SG :	Pour une carte postale.	*For a postcard.*
E :	Pour une carte postale ça fait 50 centimes.	*For a postcard it costs 50 centimes.*
G :	Alors, donnez-moi six timbres.	*Then give me 6 stamps.*

Dialogue 5   Jean-Pierre Teindas (JPT), vendeuse (V)

V :	Bonjour, Monsieur, je peux vous aider ?	*Hello. Can I help you?*
JPT :	Oui, s'il vous plaît. Je cherche un cadeau pour une amie.	*Yes, please. I'm looking for a present for a friend.*
V :	Oui, vous avez déjà une idée ?	*Yes, have you already had an idea?*
JPT :	Non.	*No.*
V :	C'est pour une personne de quel âge ?	*For what sort of age should it be?*
JPT :	C'est pour une jeune fille de 18 ans.	*It's for a young girl, aged 18.*
V :	Un parfum peut-être ?	*Perhaps a perfume?*
JPT :	Non. Je ne crois pas.	*No. I don't think so.*
V :	Bon, dans ce cas-là, peut-être un bijou fantaisie ?	*Well, then (in that case), what about a piece of fashion jewellery?*
JPT :	Qu'est-ce que vous pouvez me proposer ?	*What can you show me (suggest), then?*
V :	J'ai ce très joli bracelet.	*I have this very pretty bracelet.*
JPT :	Oui. Il est à combien ?	*What does it cost?*
V :	Il est à 10 €.	*It costs 10 €.*
JPT :	Très bien. Je le prends.	*Good. I'll take it.*
V :	D'accord. Je vous fais un paquet-cadeau ?	*Okay. Shall I wrap it for you as a present?*
JPT :	Oui, s'il vous plaît.	*Yes, please.*
V :	Bon. Veuillez passer à la caisse.	*Come over to the till.*

Comment ça se dit · How to say it

1. Comment dire que vous ne voulez rien acheter.
How to say that you do not want to buy anything.

Je regarde seulement, merci.

2. Comment demander le prix des timbres poste.

How to ask about postage.

C'est combien	un timbre une lettre une carte postale	pour	la France ? l'Autriche ? la Suisse ? les pays de la Communauté ?

Je voudrais Donnez-moi	un timbre six timbres dix timbres	à	48 centimes 50 centimes 1 €	s'il vous plaît.

Exercices • Exercises

Exercice 1

Écoutez le dialogue suivant et répétez-le, si vous voulez.

Listen to the following conversation and repeat it, if you want to.

Client :	Vous pouvez m'aider, s'il vous plaît ?
Vendeuse :	Certainement.
Client :	Vous avez des cartes postales ?
Vendeuse :	Vous les trouverez là-bas.
Client :	Vous avez des enveloppes aussi ?
Vendeuse :	Non. Je regrette. Nous n'en avons pas.

Maintenant prenez votre rôle dans la conversation suivante.

Now take on your role in the following gapped conversation.

Vous :	...
Vendeuse :	Certainement.
Vous :	...
Vendeuse :	Oui. Vous le(s) trouverez là-bas.
Vous :	...
Vendeuse :	Non. Je regrette. Nous n'en avons pas.

Vous voulez acheter les choses suivantes.

You would like to buy the following things.

a) du dentifrice
   des aspirines

b) des oranges
   des poires

c) des roses
   des tulipes

Vérifiez vos réponses en écoutant la cassette.

Check your answers with the help of the cassette.

Les courses · Shopping (2)

Exercice 2

Vous voulez commander les boissons suivantes dans un café.	*Check your answers with the help of the cassette.*

Un petit noir	*a small cup of black coffee*
Un grand crème	*a large cup of white coffee*
Un kir	*white wine with blackcurrant juice*
Une menthe à l'eau	*peppermint juice with water*
Une bière pression	*lager on draught*
Un thé citron	*ua cup of tea with lemon*
Un chocolat	*a cup of hot chocolate*
Un verre de vin rouge	*a glass of red wine*
Un cognac	*a cognac*
Un martini	*a martini*
Un orangina	*a fizzy orange*
Un grog	*a rum with hot water*

Vérifiez vos réponses en écoutant la cassette.	*You would like to order the following drinks in a "café".*

The **Café** is part of everyday life in France. A café is relatively small. It has seating for 30–40 people. Some tables are usually in front of the café, on the pavement. By the entrance you can often buy cigarettes, postcards, postage stamps and newspapers. In the early morning people drink coffee there and eat croissants, as well. At midday, sandwiches and a few hot meals are available; at night people meet each other in cafés, on order to spend a pleasant evening.
A cake shop, where drinks are also served, can be found under the name of **Salon de Thé**.

Les endroits • Places

In this unit you will learn
- how to talk about places
- to ask places are
- how to ask for a description

Dialogues • Dialogues

Dialogue 1   Jean-Pierre Teindas (JPT), Thérèse Saunier (TS)

JPT : Vous êtes de quelle région, Madame ?	*Where do you come from?*
TS : Je viens de Mirepoix.	*I come from Mirepoix.*
JPT : Ça se trouve où ?	*Where's that?*
TS : C'est une petite ville en Ariège.	*It is a small town in Ariège.*
JPT : L'Ariège, c'est dans le sud-ouest, n'est-ce pas ?	*Ariège is in the south, isn't it?*
TS : C'est ça. Mirepoix est près des Pyrénées.	*That's right. Mirepoix is near the Pyrenees.*
JPT : C'est une jolie région, l'Ariège ?	*Is Ariège a pretty region?*
TS : Certainement. C'est une région assez boisée. Et plus au sud, c'est une région montagneuse.	*Of course. It is an area with quite a lot of woodland. And the south is a mountainous region.*
JPT : Et Mirepoix, c'est une jolie ville ?	*And is Mirepoix a pretty town?*
TS : C'est une ville très pittoresque, avec une cathédrale et des « couverts » magnifiques.	*It is a very picturesque town, with a cathedral and fantastic arcades made out of wood.*
JPT : Le climat à Mirepoix, c'est comment ?	*What is the climate like in Mirepoix?*
TS : En général, le climat est assez doux.	*It's generally quite mild.*

Dialogue 2   Jacqueline Couboules (JC), Yves Marty (YM)

JC : Vous venez de Chartres, je crois, Monsieur Marty ?	*Mr Mary, you come from Chartres, don't you?*
YM : C'est vrai.	*That's right.*
JC : C'est une très belle ville, n'est-ce pas ?	*It is a very beautiful town, isn't it?*
YM : Ah oui. C'est une ville magnifique.	*Oh, yes. It is a magnificent town.*
JC : Je me rappelle qu'il y a une cathédrale.	*I remember, there is a cathedral there.*
YM : Oui. C'est une cathédrale gothique.	*Yes, it's a gothic cathedral.*
JC : Quel temps fait-il en cette saison ?	*What is the weather like at the moment?*
YM : Au printemps, il fait beau. C'est un endroit très agréable, vous savez.	*It's nice in the spring. It is a very pretty (agreeable) town, you know.*
JC : J'en suis certaine.	*I'm sure it is.*
YM : Il faut y aller.	*You should go there.*
JC : Oui, j'irai peut-être un jour.	*Yes, one day I'll do that, maybe.*

Les endroits • Places

Comment ça se dit • How to say it

1. Comment demander où sont certains endroits.

How to ask where certain places are situated.

Ça se trouve où,	Vienne ? Chartres ?

C'est	au nord au sud à l'est à l'ouest	de l'Autriche. de la France.

C'est	dans	les Alpes. les Pyrénées. le Massif Central.
	sur	la Loire. la Seine. la Garonne.
	près	de Paris
Ce n'est pas loin		de la mer. de la frontière.

2. Comment demander la description d'une région.

How to ask for a description of an area.

C'est une jolie région C'est à visiter C'est agréable	les Pyrénées ? le nord-est ?
C'est une belle ville C'est une ville agréable	Lyon ?

C'est	une région un pays	(assez) (très)	vallonné(e). boisé(e). montagneux(se). plat(e). industriel(le). agricole. touristique. fertile. triste.

Les endroits • Places

C'est une ville	industrielle. calme. intéressante. tranquille. touristique. pittoresque. historique. sale. propre.

Il y a	une cathédrale un château un théâtre un musée une église un pont un parc	célèbre. intéressant(e). à visiter.

Attention:
In French the adjective follows the noun.

E. g.: Il y a un **château intéressant**.
Il y a un **théâtre célèbre**.
Il y a un **musée intéressant**.

The adjectival form has to agree with the noun.

E. g.: Il y a un **château intéressant** (masculine)   Endings (-)
C'est une **ville intéressante.** (feminine)   **(-e)**
Il y a des « **couverts** » **intéressants** (masculine plural)   **(-s)**
Il y a des **églises intéressantes** (feminine plural)   **(-es)**

However, nearly all grammatical rules have important exceptions: some adjectives do not come after but before the noun.

E. g.: joli, e – pretty   long, ue – long
vieux, vieille – old   grand, e – big, tall
jeune – young   beau, belle – beautiful
petit, e – small   haut, e – high
court, e – short   autre – other
gentil, le – nice

We could say much more about the adjective, but that is enough for the moment.

3. Comment demander quel temps il fait.
How to ask about the weather.

Quel temps fait-il	en hiver ? à Chartres ? dans le nord ? là ?

Quel climat avez-vous ? –

Il fait	chaud frais beau froid mauvais	(en hiver). (au printemps).
	du brouillard du vent de l'orage du soleil	(en été). (en automne).

Il	neige. pleut. gèle.

Exercices • Exercises

Exercice 1

Jacqueline Couboules s'intéresse à la France. Répondez à ses questions et vérifiez vos réponses en écoutant la cassette.

Jacqueline Couboules is interested in France. Answer her questions. Check your answers with the help of the cassette.

Exemple : Ça se trouve où, Paris ?
      Paris, c'est au centre de la France.

1. Alors, vous venez d'Angers. Ça se trouve où ?
2. Vous êtes de Perpignan, Monsieur Dupont. C'est au nord, n'est-ce pas ?
3. Caen, ça se trouve où ?
4. Je n'ai jamais entendu parler La Rochelle; ça se trouve où ?
5. Marseille, c'est une ville au nord de la France, n'est-ce pas ?
6. Metz, ça se trouve où exactement ?
7. Nîmes, c'est à l'est je crois ?
8. Orléans, c'est au nord ou au sud ?
9. J'ai entendu parler de Bourg-en-Bresse ; ça se trouve où ?
10. Clermont-Ferrand, c'est où exactement ?
11. Bordeaux, c'est à l'est ?

Exercice 2

Dites où se trouvent les endroits suivants et vérifiez vos réponses en écoutant la cassette.

Say where the following places are situated and check your answers with the help of the cassette.

Exemple : Versailles, ca se trouve où ?
Versailles n'est pas loin de Paris.

1. Arcachon, ça se trouve où ? (Bordeaux)
2. Toulon, ça se trouve où ? (Marseille)
3. Montpellier, ça se trouve où ? (Nîmes)
4. Cannes, ça se trouve où ? (Nice)
5. Nantes, ça se trouve où ? (Angers)
6. Chambéry, ça se trouve où ? (Grenoble)
7. St. Etienne, ça se trouve où ? (Lyon)
8. St. Nazaire, ça se trouve où ? (Nantes)

Exercice 3

Écoutez le dialogue suivant.

Listen to the following conversation.

Belge :   Mirepoix, ça se trouve où ?
Monsieur Lacroix :   C'est au sud-est de la France. C'est sur l'Hers.
Belge :   C'est une belle ville ?
Monsieur Lacroix :   Ah oui. Il y a des « couverts ». Mirepoix est à visiter.
                          Il faut y aller.
Belge :   Oui, j'irai peut-être un jour.

Répétez la même conversation avec un Belge. Imaginez que vous connaissez les villes suivantes.

Conduct the same conversation with a Belgian. Imagine that you know the following places.

1. Versailles (Paris) / nord / le château
2. Arras / nord / la Grand'Place
3. Nancy / nord-est / la Meurthe / la Place Stanislas
4. Albi / sud / le Tarn / la cathédrale
5. Grenoble / est / l'Isère / le fort de la Bastille
6. Reims / nord / l'Aisne / la cathédrale Notre-Dame
7. Conques (Rodez) / sud / l'Abbaye de Sainte-Foy
8. Fontainebleau (Paris) / nord / le palais
9. Arles / sud (Midi) / le Rhône / les Arènes romaines
10. Carcassonne / sud / l'Aude / la cité fortifiée

Vérifiez vos réponses en écoutant la cassette.

Check your answers by listening to the cassette.

Le bon chemin • Asking the Way

In this unit you will learn
- how to ask about certain facilities in the area
- how to ask the way
- to ask how far something is

Dialogues • Dialogues

Dialogue 1   Thérèse Saunier (TS), un monsieur (M)

TS : Excusez-moi. Est-ce qu'il y a des toilettes près d'ici ?

Excuse me. Is there a toilet near here?

M : Oui, vous allez tout droit. C'est à 50 mètres.

Yes, go straight on. It is about 50 metres away.

Dialogue 2   Alain Couboules (AC), une jeune fille (JF)

AC : Pardon, Mademoiselle. Est-ce qu'il y a un téléphone près d'ici ?

Excuse me. Is there a telephone near here?

JF : Oui, vous allez tout droit. Il y a un téléphone sur votre gauche.

Yes, go straight on. A telephone is on the left.

AC : C'est à quelle distance ?

How far is it from here?

JF : C'est à 100 mètres environ.

About 100 metres.

AC : Merci bien.

Thank you, very much.

JF : De rien, Monsieur.

You're welcome.

Dialogue 3   Sylvie Guillon (SG), une dame (D)

SG : Excusez-moi, Madame. Est-ce qu'il y a une pharmacie près d'ici ?

Excuse me, please. Is there a chemist's near here?

D : Oui, vous prenez la première rue à gauche. C'est en face du cinéma.

Yes, take the first road on your left. It's opposite the cinema.

SG : Merci beaucoup, Madame.

Thank you.

D : De rien.

You're welcome.

Dialogue 4   Jean-Pierre Teindas (JP), une dame (D)

JPT : Pardon, Madame. La gare de Lyon-Perrache, s'il vous plaît ?

Excuse me. How do I get to Lyon-Perrache Station, please?

D : La gare de Lyon-Perrache ? Alors, vous traversez la Place Bellecour.

Lyon-Perrache station? Go across the Place Bellecour.

JPT : Oui.

Yes.

D : Vous prenez la rue Jean-Paul Sartre.

Take Jean-Paul Sartre Street.

JPT : Oui.	*Yes.*
D : Et vous tombez sur la gare de Lyon-Perrache.	*Then you will come to Lyon-Perrache Station.*
JPT : Merci bien, Madame.	*Thank you.*
D : De rien, Monsieur.	*You're welcome.*

Dialogue 5   Alain Couboules (AC), un jeune homme (JH)

AC : Pardon, jeune homme. Pour aller à la route de Blois, s'il vous plaît ?	*Excuse me, young man. How do I get to the road to Blois, please?*
JH : Vous êtes sur la nationale 152. Alors, vous continuez tout droit.	*You are on the "A-road", 152. Drive straight on.*
AC : Bon.	*Alright.*
JH : Oui, vous continuez sur cette route, et vous tombez sur la route de Blois.	*Carry on along this road and then you will come to the road that leads to Blois.*
AC : Je comprends, merci. Au revoir.	*I've got that. Thank you. Goodbye.*
JH : Au revoir, Monsieur.	*Goodbye.*

Dialogue 6   Jacqueline Couboules (JC), un jeune homme (JH)

JC : Excusez-moi.	*Excuse me.*
JH : Oui, Madame ?	*Yes?*
JC : La rue Carnot, s'il vous plaît ?	*How do I get to rue Carnot, please?*
JH : Je regrette. Je ne suis pas d'ici.	*Sorry. I don't come from here.*
JC : Ah, bon. Merci.	*Oh, I see. Thank you.*
JH : De rien, Madame.	*Not at all.*

Monsieur, Madame, Mademoiselle

When French people address each other, without knowing the name of the person they are talking to, they say: **Monsieur, Madame** or – when talking to a young girl – **Mademoiselle**. In answer to **merci** one says **de rien**. This can mean *you're welcome* or *not at all*.

Le bon chemin • Asking the Way

Comment ça se dit • How to say it

1. Comment demander si quelque chose est près.
How to ask if something is nearby.

Pardon, Excusez-moi,	Monsieur, Madame, Mademoiselle,	est-ce qu'il y a	un téléphone une banque un bureau de change une station-service une pharmacie une station de métro un garage une boulangerie des toilettes	près d'ici ?

2. Comment demander le chemin.
How to ask for directions.

Pardon, Excusez-moi,	Monsieur, Madame, Mademoi-selle,	pour aller	à la gare, au bureau de poste, au syndicat d'initiative, à l'office de tourisme,	s'il vous plaît ?

When you ask about a certain place, begin with: **Pour aller à ...?** *How do I get to ...?* Then the noun follows.
French nouns are either masculine (**le**) or feminine (**la**); they are either in the singular or in the plural form. The following happens when the preposition **à** is used
– with masculine nouns in the singular (à le) it becomes **au**: e.g. **au garage.**
– with feminine nouns in the singular it is **à la**: e.g. **à la gare.**
– with all nouns in the plural (à les) it is **aux**: e.g. **aux Champs-Elysées.**

3. Comment demander le chemin lorsqu'on conduit.
How to ask the way when driving.

La route de Pour aller à	Tours, Toulouse, Lyon, Bordeaux,	s'il vous plaît ?
L'autoroute de Nantes, La rue Tintorêt, Le Boulevard des Invalides, L'avenue Galliéni,		

4. Comment indiquer la direction.

How to give directions.

Vous prenez	la départementale D 10. la nationale 23. l'autoroute A 5.

Vous allez jusqu'à Vous passez par	Mirepoix. Fontainebleau. Nevers.

Vous	traversez dépassez	la Place Pigalle. les feux.
	prenez suivez	la rue Victor Hugo. la route de Vienne.

Vous	allez continuez	tout droit.
	tournez	à gauche. à droite.
	prenez	la première rue à gauche. la deuxième rue à droite.

Vous	arrivez	à la au	gare. stade municipal.
	tombez	sur	la pharmacie. l'office de tourisme. le syndicat d'initiative.

Vous allez … vous prenez … etc.

The **vous**-form of the verb is the polite form, i.e. to strangers. The important **vous**-forms, which you will need for asking the way, are listed below:

aller *(go/drive)*	**vous allez**
arriver à *(arrive)*	**vous arrivez à**
continuer *(coninue going/driving)*	**vous continuez**
dépasser *(to go past something)*	**vous dépassez**
passer par *(go past, drive past)*	**vous passez par**
prendre *(take)*	**vous prenez**
suivre *(follow)*	**vous suivez**
tomber sur *(arrive at)*	**vous tombez sur**
tourner *(turn)*	**vous tournez**

C'est	sur	votre droite. votre gauche.
	à côté en face	du cinéma. de la poste.
	devant derrière	la station-service. la gare.

À côté de ..., en face de ...

French nouns are either masculine or feminine; they are either in singular or plural. When saying *of* with **de** the following happens:

– with masculine nouns in the singular (de le): **du,**
  e.g.: **à côté du cinéma.**
– with feminine nouns in the singular: **de la,**
  e.g.: **en face de la gare.**
– with all nouns in the plural (de les): **des,**
  e.g.: **à côté des feux.**

5. Comment demander la distance.
Asking how far away something is.

C'est	loin d'ici ? à quelle distance ?	–	C'est à (environ)	cinq kilomètres 20 minutes 500 mètres	d'ici.

Exercices • Exercises

Exercice 1

Écoutez ce dialogue.   *Listen to this conversation.*

Hippolyte :   La banque est près d'ici ; j'en suis certain !
Sa femme :   Hippolyte, nous sommes perdus !!
              Moi, je vais demander.
              Pardon. Est-ce qu'il y a une banque près d'ici ?

Imaginez que vous êtes avec Hippolyte ;   *Imagine you are out with Hippolyte. Ask*
vous posez les questions nécessaires   *the right questions in order to find the*
pour trouver les lieux suivants.   *following buildings.*

Le bon chemin · Asking the Way | UNITÉ 8

1. Le bureau de poste
2. La pharmacie
3. Le cinéma
4. La station-service
5. Le syndicat d'initiative
6. La station de métro

Vérifiez vos réponses en écoutant la cassette.

Check your answers by listening to the cassette.

Exercice 2

M. et Mme Dupont sont pour la première fois à Paris. Ils ont certaines difficultés. Écoutez le dialogue.

Mr and Mrs Dupont are visiting Paris for the first time. They are having difficulties. Listen to the dialogue.

Mme Dupont : Mon Dieu ! Il faut trouver des toilettes !
M. Dupont : Moi, je vais demander.
Excusez-moi, est-ce qu'il y a des toilettes près d'ici ?

Imaginez que vous êtes M. Dupont. Demandez ce que vous cherchez.

Imagine that you are Mr Dupont. Ask about the facilities that you are looking for.

Mme Dupont : Mon Dieu !
Il faut trouver un bureau de poste.
Il faut trouver une station de métro.
Il faut trouver une banque.
Il faut trouver un arrêt d'autobus.
Il faut trouver un parking.
Il faut trouver un téléphone.
Il faut trouver une pharmacie.

Puis vérifiez vos réponses en écoutant la cassette.

Check your answers with the help of the cassette.

Exercice 3

Voici quelques réponses que vous entendrez peut-être quand vous demanderez le bon chemin. Lisez-les et cherchez les questions qu'on a posées.

Here are some addresses, which you are going to receive when you ask the way. Read them and find out which questions were asked.

1. A:
   B : Un téléphone ? Je regrette; je ne suis pas d'ici.

2. A:
   B : Les Champs-Élysées ? Vous traversez le pont, et c'est tout droit.

Le bon chemin • Asking the Way

3. A:
   B : Oui, il y a un arrêt d'autobus dans la rue St-Jacques.

4. A:
   B : L'entrée de la Sainte-Chapelle ? Vous prenez le Boulevard du Palais; c'est sur votre gauche.

5. A:
   B : Je crois qu'il y a une pharmacie à côté du Monoprix.

6. A:
   B : La rue des Minimes ? Non, excusez-moi, je ne suis pas d'ici.

7. A:
   B : Le boulevard Beaumarchais ? Vous continuez tout droit, et vous prenez la deuxième rue à gauche.

8. A:
   B : Le Sacré-Coeur ? Vous traversez la place du Tertre; vous continuez tout droit, et vous tombez sur le Sacré-Coeur.

Vérifiez vos réponses en écoutant la cassette.

Check your answers with the help of the cassette.

La permission • Permission

In this unit you will learn:

- how to ask for permission
- how to react to requests
- how to ask if something is allowed

Dialogues • Dialogues

Dialogue 1   Jean-Pierre Teindas (JPT), agent de Police (AP)

JPT : Excusez-moi.	*Excuse me.*
AP : Qu'est-ce qu'il y a ?	*What is it?*
JPT : Je peux stationner ici ?	*Can I park here?*
AP : Non, Monsieur. Vous ne devez pas stationner là.	*No. You are not allowed to park here.*
JPT : Et là-bas ? Je peux stationner là ?	*And over there? Can I park over there?*
AP : Non, Monsieur. Vous ne devez pas stationner là, non plus.	*No. You are not allowed to park over there either.*
JPT : Espèce d'imbécile !	*Idiot.*

Je peux ...?

The verb **pouvoir** means *can* in the sense of: *Can you drop in this evening?* as well as , as here, *allowed* to in the sense of: *Can I/Am I allowed to park here?*
To forbid someone to do something, one says: « Vous ne devez pas faire ça ! » *You are not allowed to do that!* or simply: « Non, c'est interdit. » *That is forbidden.*

Espèce d'imbécile!

It is not recommended to say this phrase out loud, in order to avoid provoking unpleasant reactions.

Dialogue 2   Sylvie Guillon (SG), son voisin (V)

SG : Monsieur Lazerges.	*Mr Lazerges.*
V : Sylvie. C'est toi. Qu'est-ce qu'il y a ?	*Sylvie. Is that you? What's wrong?*
SG : Excusez-moi de vous déranger. Regardez. Mon pneu est crevé.	*Please excuse me for disturbing you. Look, I have a flat tyre.*
V : Ah oui. C'est vrai.	*Oh yes. So you do.*
SG : Je peux emprunter votre vélo, Monsieur Lazerges ? Je ne veux pas arriver en retard.	*Could I borrow your bicycle, please, Mr Lazerges? I don't want to be late.*
V : Mais oui. Mais oui.	*Why yes, of course.*

La permission • Permission

SG :	Je peux emprunter une sacoche aussi ?	*Can I also borrow a saddlebag?*
V :	Mais oui. Certainement.	*Yes, certainly.*
SG :	Merci beaucoup, Monsieur Lazerges.	*Thank you very much, Mr Lazerges.*
V :	De rien, Sylvie.	*You're welcome, Sylvie.*

Dialogue 3   Une jeune mariée (JM), son mari (M)

JM :	Je peux prendre la voiture, chéri ?	*Can I take the car, darling?*
M :	Non. Je regrette.	*No. I'm afraid not.*
JM :	(Incrédule) Je ne peux pas la prendre ?	*(incredulous) I can't take it?*
M :	Non. Pas possible.	*No. Not possible.*
JM :	Espèce de petit Macho ! Donne-moi de l'argent pour un taxi !	*You stupid, little macho! Give me money for a taxi!*
M :	Non. Je n'ai pas de monnaie. (Après avoir réfléchi.) Tu peux prendre la voiture après tout.	*No. I don't have any cash. (After he has thought about it again.) You can have the car after all.*
JM :	Non. Ça ne fait rien. Je vais à pied.	*No. It doesn't matter. I'll go on foot.*
M :	Je te demande pardon.	*I'm sorry.*
JM :	Ça m'est égal. Fous-moi le camp ! (Elle sort, et fait claquer la porte.)	*It's all the same to me. Get lost! (She leaves. Slams the door.)*
M :	Merde ! ! !	*Damn!!!*

Nouns and Pronouns

E.g. "Je peux prendre la voiture?" La voiture is the object of the sentence here. If a noun, which is the object of the sentence, is replaced by a pronoun, the gender and the number (singular / plural) must agree with the noun and come before the verb.

Je peux prendre **la voiture** ?	Je peux prendre **le vélo** ?
Je peux **la** prendre ?	Je peux **le** prendre ?

Je peux prendre **les clefs** ? *(keys)*
Je peux **les** prendre ?

Dialogue 4   Thérèse Saunier (TS), sa voisine (V)

TS :	Madame Escolier ! Madame Escolier, vous êtes là ?	*Mrs Escolier! Mrs Escolier. Are you there?*
V :	Oui. Entrez, Madame Saunier. Qu'est-ce qu'il y a ?	*Yes. Come in, Mrs Saunier. What is it?*
TS :	Est-ce que je peux regarder votre Dépêche, s'il vous plaît ?	*Could I have a look at your copy of Dépêche?*

La permission • Permission UNITÉ 9

V :	Mais oui. Certainement. La voici.	*Yes. Of course. Here it is.*

V : Mais oui. Certainement. La voici. — *Yes. Of course. Here it is.*
TS : Merci beaucoup, Madame Escolier. C'est pour le programme de télévision. — *Thank you very much, Mrs Escolier. I would like to have a look at the television sion programmes.*
V : Oui, Oui. Je comprends. — *Yes. I see.*
TS : Est-ce que je peux la garder un petit moment ? — *Can I keep it for a few minutes?*
V : Je vous en prie. Je l'ai déjà lue. — *Yes, of course. I've already looked at it.*
TS : Merci beaucoup. — *Thank you very much.*
V : De rien. Au revoir, Madame Saunier. — *You're welcome. Goodbye, Mrs Saunier.*
TS : Au revoir, Madame Escolier, et merci. — *Goodbye Mrs Escolier. Thanks.*

Comment ça se dit • How to say it

1. Comment demander et donner la permission.
How to ask for and give permission.

(Est-ce que) je peux	emprunter prendre regarder avoir	le/la votre	voiture ? vélo ? journal ? rasoir ?

Avec plaisir.
Certainement.
Mais oui. — *Full consent*

Bien sûr.
D'accord. — *Neutral consent*

Je regrette.
Ça ne va pas. — *Neutral refusal*

Je suis désolé(e).
Pas possible.
Pas question ! — *Strong refusal*

Vous ne devez pas … — *You are not allowed*
Interdit de … (Interdit de fumer) — *(smoking) forbidden*
Défense de … (Défense de stationner) — *(parking) forbidden*

53

La permission • Permission

Exercices • Exercises

Exercice 1

Demandez la permission d'emprunter les choses ci-dessous et vérifiez vos réponses en écoutant la cassette.

Ask for permission to borrow the following things and check your answers with the help of the cassette.

Example : Je peux emprunter votre journal ?

Vélo	Livre
Imperméable	Rasoir
Journal	Peigne

Exercice 2

Quelqu'un vous demandera la permission d'emprunter certaines choses. Répondez en disant la vérité. Soyez poli(e) – si possible. Voici quelques expressions utiles.

Someone will ask whether they can borrow certain things from you. Answer them honestly. Be polite, if you can. The following expressions might be useful to you.

Avec plaisir.	D'accord.	Pas possible.
Certainement.	Je regrette.	Pas question !
Mais oui.	Ça ne va pas.	Fous-moi le camp !!!
Bien sûr.	Je suis désolé(e).	(impolite)

Maintenant répondez aux questions suivantes.

Now answer the following questions.

1. (Est-ce que) je peux emprunter votre vélo ?
2. (Est-ce que) je peux emprunter votre rasoir ?
3. (Est-ce que) je peux emprunter votre peigne ?
4. (Est-ce que) je peux emprunter votre brosse à cheveux ?
5. (Est-ce que) je peux emprunter votre rouge à lèvres ?
6. (Est-ce que) je peux emprunter votre dentifrice ?
7. (Est-ce que) je peux emprunter votre brosse à dents ?
8. (Est-ce que) je peux emprunter votre voiture ?
9. (Est-ce que) je peux emprunter votre pantalon ?
10. (Est-ce que) je peux emprunter votre pyjama ?

Vérifiez vos réponses en écoutant la cassette. Peut-être que vos réponses ne sont pas celles des auteurs.

Check your answers with the help of the cassette. It may be the case that your answers differ from those of the author.

Les voyages · Travelling

In this unit you will learn

- to say, where you want to go
- how to buy tickets for various modes of transport
- how to order a taxi

Dialogues · Dialogues

Dialogue 1   Frédéric Saunier (FS), un employé (E)

FS :	Un aller simple, deuxième classe pour Grenoble.	*A single to Grenoble, second class.*
E :	Oui, Monsieur.	*Yes.*
FS :	C'est combien ?	*What does that cost?*
E :	90 €.	*90 €.*

Dialogue 2   Alain Couboules (AC), un employé (E)

AC :	Un aller-retour, deuxième classe pour Bordeaux, s'il vous plaît.	*A return ticket to Bordeaux, please.*
E :	Oui, Monsieur.	*Yes.*
AC :	C'est combien ?	*What does that cost?*
E :	20 €, Monsieur. Vous voulez faire une réservation ?	*20 €. Would you like to reserve a place?*
AC :	Non, merci.	*No, thank you.*

Dialogue 3   Thérèse Saunier (TS), un conducteur d'autobus (C)

TS :	Vous allez à la Place Clichy ?	*Do you go to Place Clichy?*
C :	Oui, Madame.	*Yes.*
TS :	Voulez-vous bien me dire quand il faut descendre ?	*Could you let me know when I have to get out?*
C :	Oui, bien sûr.	*Yes, certainly.*
TS :	Merci.	*Thank you.*

Dialogue 4   Frédéric Saunier (FS), un employé d'une agence de taxis (ET)

FS :	(Au téléphone) Allô. Un taxi, s'il vous plaît.	*(on the telephone) Hello. A taxi, please.*
ET :	Quelle est votre adresse ?	*What is your address?*
FS :	24, rue Pasteur.	*24, rue Pasteur.*
ET :	C'est pour aller où ?	*Where would you like to go to?*
FS :	À la gare.	*To the train station.*
ET :	D'accord. Dans 10 minutes.	*Alright. In 10 minutes.*
FS :	Merci. Au revoir.	*Thank you. Goodbye.*

Les voyages • Travelling

Dialogue 5 Jean-Pierre Teindas (JPT), employé d'une agence de voyages à l'aéroport (EA)

EA : Bonjour, Monsieur. Je peux vous aider ?	*Hello. Can I help you?*
JPT : Bonjour. Est-ce qu'il y a un avion pour Berlin aujourd'hui ?	*Hello. Is there a flight to Berlin today?*
EA : Vous avez un vol qui part à 18 heures.	*There is a flight at 18.00.*
JPT : C'est direct ?	*Is it direct?*
EA : Bien sûr, Monsieur.	*Yes, of course.*
JPT : Il arrive à quelle heure ?	*When does it arrive?*
EA : Il arrive à Tegel à 20 heures.	*It arrives at 20.00 in Tegel.*
JPT : Bon. Un aller simple, s'il vous plaît.	*Good. A single ticket, please.*
EA : En quelle classe, Monsieur ?	*Which class?*
JPT : Classe touriste.	*Economy class, please.*
EA : D'accord. Vous voulez une place fumeurs ou non-fumeurs ?	*Yes. Would you like smoking or non-smoking?*
JPT : Non-fumeurs, s'il vous plaît.	*Non-smoking, please.*
EA : Ça fait 390 €. Vous avez une carte bancaire ?	*That's 390 €. Do you have a cheque guarantee card?*
JPT : Bien entendu. La voici. À quelle heure est l'enregistrement des bagages ?	*Certainly. Here it is. When shall I check in?*
EA : L'enregistrement est à 17 h 15.	*Check-in is at 17.15.*
JPT : Et le numéro du vol ?	*And what is the flight number?*
EA : C'est Air France, vol 578.	*Air France, flight no. 578.*
JPT : Merci.	*Thank you.*

Comment ça se dit • How to say it

1. Comment dire où vous voulez aller
How to say where you want to go.

Un	aller simple, aller-retour,	première classe deuxième classe en classe touriste	pour Grenoble.	C'est combien ?

Vous voulez	réserver une place ? une place fumeurs ou non-fumeurs ?

2. Comment demander l'heure du départ et de l'arrivée.

How to ask about arrival and departure times.

Il Le train Le vol	part arrive	à quelle heure ?

Le prochain	train avion	part à	14 h 35. midi quinze. 20 heures.

Il arrive à	London Bordeaux Paris, Charles de Gaulle	à	3 h 17. 22 heures. 1 h 30.

Exercices • Exercises

Exercice 1

Imaginez que vous voulez aller à Paris parce que vous allez vivre là. Vous prenez un billet aller simple.

Vous dites:

Imagine you would like to travel to Paris, because you are going to live There. Therefore you need a single ticket.

You say:

Un aller simple pour Paris.

Imaginez que vous voulez aller à Paris simplement parce que vous voulez assister à une réunion. Vous prenez un billet aller-retour.
Vous dites:

Imagine you have to go to Paris for a conference. Therefore you need to buy a return ticket.

You say:

Un aller-retour pour Paris.

Que disent ces gens ?

What do these people say?

1. Monsieur Dupont va habiter à Bordeaux.
2. Madame Escolier veut visiter Lyon.
3. Monsieur et Madame Laberge ont l'intention de vivre à Montpellier.
4. Monsieur Verdier et sa secrétaire ont une conférence à Dieppe.
5. Monsieur Peyre va vivre à Nantes.
6. Monsieur et Madame Marty vont passer le week-end à Calais.

7. Madame Lannes et sa fille vont faire des courses à Paris.
8. Monsieur et Madame Chaband vont vivre avec leur fille à Chartres.
9. Mademoiselle Cochet va passer quelques jours avec sa sœur à Nice.
10. Monsieur et Madame Porcher ont l'intention de vivre à Cannes.

Vérifiez vos réponses en écoutant la cassette.

Check your answers with the help of the cassette.

Exercice 2

Écoutez la conversation suivante

Listen to the following conversation on the cassette.

Touriste : Vous allez à la Gare St.-Lazare ?
Conducteur : Oui, Madame.
Touriste : Voulez-vous bien me dire quand il faut descendre ?
Conducteur : Oui, bien sûr.
Touriste : Merci.

Imaginez que vous voulez aller aux endroits suivants. Qu'est-ce que vous dites et qu'est ce qu'il dit le conducteur ?

Imagine you want to go to the following destinations. What do you say and what does the driver say?

1. Place St-Augustin
2. Place de la Madeleine
3. Le Jardin des Plantes
4. Le Panthéon
5. Montmartre
6. L'Hotel de Ville
7. Le Centre Georges Pompidou
8. Le Musée d'Orsay
9. La Cathédrale Notre-Dame
10. La Place de la Concorde

Vérifiez vos réponses en écoutant la cassette.

Check your answers with the help of the cassette.

Exercice 3

Vous voulez prendre l'avion à Hambourg. L'employée à l'agence de voyages vous pose quelques questions. Écoutez les questions et les réponses.

You would like to fly to Hamburg. The travel agent employee asks you some questions. Listen to these questions and answers on the cassette.

Employée : Bonjour, Monsieur. Je peux vous aider ?
Vous : Je veux aller à Hambourg. À quelle heure est le prochain vol ?
Employée : Le prochain vol part à 14 h 45, et arrive à 17 h 00.
Vous : Un billet, s'il vous plaît.
Employée : Aller simple, ou aller-retour ?
Vous : Un aller simple, s'il vous plaît.

Employée :	En première ou en classe touriste ?
Vous :	Une place en classe touriste.
Employée :	Vous voulez une place fumeurs ou non-fumeurs ?
Vous :	Non-fumeurs, s'il vous plaît.
Employée :	Voici votre carte d'embarquement. Porte numéro cinq.
	C'est le vol Air France, numéro 210.

Répétez la même conversation en prenant les deux rôles. Utilisez les informations ci dessous.

Repeat the previous role play by playing both roles. For this exercise use the following information.

				Départ	Arrivée
1.	AF 760	Berlin/Tegel	(Touriste)	07 h 40	10 h 30
2.	AF 742	Breme	(Touriste)	14 h 15	17 h 55
3.	LH 560	Cologne/Bonn	(Première)	13 h 45	15 h 10
4.	AF 762	Düsseldorf	(Touriste)	11 h 05	12 h 10
5.	AF 476	Francfort	(Première)	18 h 15	19 h 35
6.	LH 1751	Hambourg	(Touriste)	19 h 40	21 h 15
7.	AF 732	Munich	(Première)	17 h 40	19 h 05
8.	AF 754	Nuremberg	(Touriste)	20 h 40	22 h 20

Vérifiez vos réponses en écoutant la cassette.

Check your answers with the help of the cassette.

| **Problèmes • Laguage Problems**

In this unit you will learn
- how to say that you do not understand
- to ask the meaning and translation of words or sentences
- how to ask for a phrase to be repeated

Dialogues • Dialogues

Dialogue 1   Frédéric Saunier (FS), un étranger (E)

FS :	Eh bien, au boulot !
E :	Pardon. Au boulot ? Je ne comprends pas.
FS :	Au boulot ; au boulot !
E :	Qu'est-ce que ça veut dire ?
FS :	Le boulot, c'est le travail. Au boulot veut dire : Je dois travailler.
E :	Ah bon. Je comprends maintenant. Merci.

Well, au boulot!
Pardon? Au boulot? I don't understand.
Au boulot; au boulot!
What does that mean?
Au boulot means work. Au boulot means: off to work.
Oh. I understand. Thank you.

Dialogue 2   Sylvie Guillon (SG), son correspondant (C)

C :	On mange au lycée ?
SG :	Oui. On bouffe assez bien.
C :	On bouffe ? Qu'est-ce que ça veut dire ?
SG :	On bouffe veut dire : On mange. On mange assez bien.
C :	Ah bon. Je comprends. Merci.

Let's eat at the Lycée (grammar school)
Yes. You can "bouffe" quite well there.
You can bouffe? What does that mean?
You can bouffe means: you eat. You can eat quite well.
Oh, I understand. Thank you.

! In many French schools a warm meal is served every day, except on Wednesdays. As a rule there are no lessons on a Wednesday afternoon.

Dialogue 3   Jacqueline Couboules (JC), un touriste au FIAPAD (T)

T :	Une carte postale, s'il vous plaît.
JC :	Voilà.
T :	J'ai seulement un billet de 100 €. Excusez-moi.
JC :	(Parlant vite) Ça ne fait rien.
T :	Comment ? Vous pouvez parler un peu plus lentement ?
JC :	Ça-ne-fait-rien.
T :	Ah bon. Je comprends. Merci.

One postcard, please.
There you are.
I'm afraid I only have a 100 € note.
(speaks quickly) That doesn't matter.
Sorry? Could you speak a bit more slowly?
Ça-ne-fait-rien.
Oh. I understand. Thank you.

Dialogue 4   Jean-Pierre Teindas (JPT), un étranger (E)

E : Excusez-moi, Monsieur Teindas. Comment ça s'appelle en francais ?	*Excuse me, Mr Teindras. What is that called in French?*
JPT : Ça, c'est une « baguette ».	*That is a "baguette".*
E : Ah bon. Et ça ? Ça s'appelle comment ?	*Oh, I see. And that? What is that called?*
JPT : Ça, c'est une « madeleine ».	*That is called a "Madeleine".*

Une baguette; une madeleine
Une baguette is a type of *loaf*; see unit 6
Une madeleine is a *small cake*.

Dialogue 5   Alain Couboules (AC), une collègue anglaise (C)

(Alain Couboules se promène à Paris en voiture avec une collègue anglaise.)	*Alain Couboules is going for a drive in Paris with a English colleague.*
C : (Indiquant un panneau direction Neuilly.) Comment ça se prononce ?	*(Pointing to a sign). How do you pronounce that?*
AC : Écoutez ! Ça se prononce comme ça : Neuilly. Essayez !	*Listen. This is how it is pronounced: Neuilly. Try it!*
C : Neuilly.	*Neuilly.*
AC : Très bien. C'est parfait.	*That's right. Very good.*

Comment ça se dit · How to say it

1. Comment dire que vous ne comprenez pas.
Comment demander ce que quelque chose veut dire.
How you say that you do not understand.
How to ask the meaning of something.

Comment ? – Je ne comprends pas.

Qu'est-ce que	boulot ça flic	veut dire ?

2. Comment demander une répétition plus lente et plus distincte.
How to ask for a slower and clearer repetition of something.

Vous pouvez	parler répéter ça	un peu plus lentement ?

UNITÉ 11 | Problèmes · Laguage Problems

3. Comment demander comment quelque chose s'appelle ou comment quelque chose se prononce, ou s'écrit.

How to ask for the names of things or the pronunciation of words.
How to ask for the spelling of a word.

Comment ça	s'appelle (en français) ?
	se prononce ?
	s'écrit ?

Exercices · Exercises

Exercice 1

Comment confronter les problèmes de langue suivants:

How to cope with the following language problems.

A : Un Français/une Française vous parle

1. indistinctement, ou :
   (unclearly)
2. trop vite, ou :
   (too fast)
3. avec un accent.
   (with a strong accent)

B : Dites que vous ne comprenez pas, et :

1. Demandez qu'on répète la phrase
   (asking for repetition)
2. qu'on vous épèlle le mot ou l'expression
   (spelling)
3. qu'on vous le répète plus lentement
   (a slower repetition)

4. qu'on vous parle plus distinctement.
   (clearer speech)

Voici quelques expressions utiles :

Pardon. Je ne comprends pas.
Qu'est-ce que ça veut dire ?
Comment ?
Vous pouvez parler un peu plus lentement ?
Comment ça s'écrit ?
Vous pouvez répéter ça, s'il vous plaît ?
Vous pouvez parler un peu plus distinctement, s'il vous plaît ?

Écoutez la cassette et décidez ce que vous voulez dire.

Now listen to the cassette and decide what you want to say.

Vérifiez vos réponses en écoutant la cassette.

Check your answers with the help of the cassette.

Exercice 2

Écoutez les conversations suivantes.
Chaque fois que vous entendrez
quelque chose que vous ne comprenez
pas, demandez ce que ça veut dire.

*Listen to the following conversations.
When you do not understand
something in a sentence, ask for the
meaning.*

Exemple :

A : Voici les P. et T.
B : Pardon. Je ne comprends pas.
P. et T., qu'est-ce que ça veut dire ?
A : P. et T. veut dire : Postes et Télécommunications.

Écoutez la cassette. Décidez ce que vous
voulez dire.

*Listen to the cassette and decide what
you want to say.*

SNCF : Société Nationale des Chemins de Fer Français.
RATP : Réseau Autobus Transports Publics
RER : Réseau Express Régional
SECU : La Sécurité Sociale
CEE : Communauté Économique Européenne
CCP : Comptes Chèques Postaux

Vérifiez vos réponses en écoutant
la cassette.

*Check your answers with the help of the
cassette.*

Professions • Jobs

In this unit you will learn
- how to talk about jobs
- how to ask where someone works and what they do

Dialogues • Dialogues

Dialogue 1   Frédéric Saunier (FS), Jacqueline Couboules (JC)

FS : Qu'est-ce que vous faites dans la vie ?	*What do you do for a living?*
JC : Je suis secrétaire et réceptionniste.	*I am a secretary and receptionist.*
FS : Où travaillez-vous ?	*Where do you work?*
JC : Je travaille au FIAPAD.	*I work at FIAPAD.*
FS : FIAPAD, qu'est-ce que c'est ?	*FIAPAD, what is that?*
JC : C'est le Foyer International d'Accueil Paris la Défense.	*It is the Foyer International d'Accueil Paris la Défense.*
FS : Et vous aimez ça ?	*And do you enjoy it?*
JC : Ah oui. J'aime beaucoup mon travail. C'est très intéressant.	*Oh, yes. I enjoy my job, very much. It is very interesting.*

Dialogue 2   Jacqueline Couboules (JC), Frédéric Saunier (FS)

JC : Et vous. Qu'est-ce que vous faites ?	*And you. What do you do?*
FS : Moi, je suis médecin. C'est-à-dire j'étais médecin.	*I'm a doctor. I mean, I was a doctor.*
JC : Qu'est-ce que vous voulez dire ?	*What do you mean by that?*
FS : Je suis retraité.	*I'm retired.*
JC : Et vous aimez ca ?	*Do you like it?*
FS : Ah oui. Ça me plaît beaucoup.	*Oh, yes. I like it very much.*
JC : Pourquoi ?	*Why?*
FS : C'est la liberté ! C'est bien, ça.	*It is freedom! It's good.*

Dialogue 3   Thérèse Saunier (TS), Alain Couboules (AC)

TS : Qu'est-ce que vous faites dans la vie ?	*What do you do for a living?*
AC : Moi, je suis directeur d'un Monoprix.	*I am a manager at Monoprix.*
TS : Ah bon. Vous travaillez dans quel Monoprix ?	*I see. Which Monoprix do you work at?*
AC : Le Monoprix dans la rue Pablo Picasso.	*The Monoprix in Pablo-Picasso Street.*

Professions • J

TS : Ça se trouve où ?	*What is tha*
AC : À la Défense.	*At La Défens*
TS : Ah oui. Bien sûr. Et vous travaillez à plein temps ?	*Oh, yes. Of co time?*
AC : Je travaille 45 heures par semaine.	*I work 45 hours*
TS : C'est beaucoup, ça.	*That's a lot.*
AC : C'est trop !	*It's too much!*
TS : Vous êtes libre le dimanche ?	*Do you have Sunda*
AC : Oui.	*Yes.*
TS : Vous avez des congés payés ?	*Do you have paid holiday?*
AC : Oui, oui. Cinq semaines.	*Yes, yes. Five weeks.*

UNITÉ 12

FIAPAD is a type of youth-hotel which has several conference rooms. The price of accommodation is cheap. From there you can reach the city centre in 10 minutes by regional train. Address:
FIAPAD: 19, rue Salvador Allende, BP 631 – 92006 Nanterre Cedex

The vous-form of the verb
Conversations with one other person are no problem when you have mastered the Je-form and the vous-form of the verb. Below is a list of the verbs you know so far, with their je- and vous-forms.

je fais – vous faites	(faire: *to make or do*)
je suis – vous êtes	(être: *to be*)
j'aime – vous aimez	(aimer: *to like)*
je veux – vous voulez	(vouloir: *to want*)
je travaille – vous travaillez	(travailler: *to work*)

Comment ça se dit • How to say it

1. Comment demander quelle est la profession de quelqu'un.
How to ask what job someone has.

Qu'est-ce que vous faites dans la vie ? –	Je	suis	employé(e) de bureau. docteur/médecin.
		suis employé(e) comme	secrétaire. représentant(e). directeur de banque. professeur.
		travaille comme	agent de police. vendeur(euse).

65

Professions • Jobs

| Il
Elle | est | pharmacien(ne).
acteur/actrice.
infirmier(ière).
étudiant(e).
élève.
garçon/serveuse. |

| Que fait | votre fille/fils ?
Monsieur Saunier ?
votre mari/femme ?
-il/-elle ? | – |

| Il
Elle | est | au chomage.
retraité(e). |
| Ils
Elles | sont | retraité(e)s
(tous les deux).
à la retraite. |

2. Comment demander où quelqu'un travaille.
How to ask where somebody works.

| Vous êtes
Il/Elle est | employé(e) | où ? | – |
| Vous travaillez
Il/Elle travaille | | | |

| Je suis
Il/Elle est | employé(e) | chez
   Elf-Aquitaine.
chez Alcatel.
chez Renault.
dans une
   entreprise. |
| Je travaille
Il travaille
Elle travaille | | dans un
   supermarché.
dans un café.
chez un fleuriste.
au FIAPAD.
dans un
   Monoprix. |

J'ai un emploi provisoire
permanent.

3. Comment demander combien d'heures quelqu'un travaille.
Asking how many hours a week someone works.

| Vous travaillez combien d'heures par | jour ?
semaine ?
mois ? |

| En général,
Normalement,
D'habitude, | je travaille (environ) | 8 heures
35 heures
21 jours | par | jour.
semaine.
mois. |
| | | à plein temps.
à mi-temps. | | |

66

Professions • Jobs

4. Comment demander si quelqu'un aime son travail.

How to ask whether or not someone likes their work.

Vous aimez	votre	travail ?
Il/Elle aime	son	

– Je l'aime beaucoup.
C'est intéressant.
Ce n'est pas mal.
Ce n'est pas très intéressant.
C'est mal payé.
Je le déteste.

Exercices • Exercises

Exercice 1

Dites que vous travaillez pour les entreprises suivantes.

Say that you work for the following firms.

Exemple : Je travaille chez Air France.

1. Air France
2. La Redoute
3. Les Trois Mosquetaires
4. Leclerc
5. Crédit Lyonnais
6. Michelin
7. Aéro-Spatiale
8. Guy Laroche

Vérifiez vos réponses en écoutant la cassette.

Check your answers with the help of the cassette.

Maintenant, dites que votre femme ou votre mari travaille pour les mêmes entreprises.

Now say that your wife or your husband works for the same firm.

Maintenant, dites que votre frère ou votre sœur travaille pour les mêmes entreprises. Vérifiez vos réponses à la fin du livre.

Next, say that your brother or your sister works for the same firm and check your answers using the answer section at the back of the book.

Professions · Jobs

Exercice 2

Voici une liste de quelques professions. Écoutez comment elles se prononcent, et répétez-les.

Here is a list of some professions. Listen to how they are pronounced and repeat them.

architecte
acteur
actrice
agent de police
caissier
caissière
chauffeur
coiffeuse
conducteur d'autobus
employé de bureau
employée de bureau
étudiant
étudiante
femme au foyer
femme de ménage

garçon
infirmier
infirmère
informaticien
ingénier
institutrice
mécanicien
médecin
plombier
représentant
représentante
représentant de commerce
secretaire
vendeuse

Exercice 3

Dites que vous exercez les professions suivantes et vérifiez vos réponses en écoutant la cassette.

Now say that you do the following jobs and check your answers with the help of the cassette.

Je suis ...

architecte
dactylo
étudiant
étudiante
femme d'affaires

homme d'affaires
instituteur
institutrice
médecin
professeur

Dites ce que vous faites en vérité.

Say now which job you really do.

Exercice 4

Imaginez que vous vous présentez à une interview pour un emploi dans une entreprise en France. Écoutez les questions et répondez-y.

Imagine you are applying for a job in France. Listen to the interview questions on the cassette and answer them.

Chef : Entrez. Asseyez-vous. Quel est votre nom de famille ?
Vous : ...
Chef : Et votre prénom ?
Vous : ...
Chef : Bon. Vous habitez-où ?
Vous : ...
Chef : Qu'est-ce que vous faites ?
Vous : ...
Chef : Vous aimez ça ?
Vous : ...
Chef : Votre travail, c'est à mi-temps ou à plein temps ?
Vous : ...
Chef : Merci beaucoup. Voulez-vous bien attendre dans le bureau à côté ?

À la maison • At Home

In this unit you will learn

- to talk about your home
- how to ask where somebody lives
- to ask how long someone has lived there
- to give information about yourself

Dialogues • Dialogues

Dialogue 1   Jean-Pierre Teindas (JPT), Thérèse Saunier (TS)

JPT : Vous habitez où, Madame Saunier ?   *Where do you live, Mrs Saunier?*

TS : Nous habitons le centre de Mirepoix.   *We live in the town centre of Mirepoix.*

JPT : Ah bon. Vous avez une maison ou un appartement ?   *I see. Do you have a house or a flat?*

TS : Nous habitons une maison particulière.   *We live in a detached house.*

JPT : Elle est grande, petite ?   *Is it big or small?*

TS : Elle est assez grande. Nous avons six pièces.   *It is quite big. We have six rooms.*

JPT : Mm. Ça c'est grand. Vous habitez Mirepoix depuis combien de temps ?   *MM. That is really big. How long have you lived in Mirepoix?*

TS : Depuis vingt ans.   *For 20 years.*

The **Nous**-form (we-form) of the verb is being introduced in this unit, e.g.

| **Nous habitons** | *we live* |
| **Nous avons** | *we have* |

Dialogue 2   Jacqueline Couboules (JC), Frédéric Saunier (FS)

JC : Vous êtes installé où ?   *Where are you staying?*

FS : À l'hôtel des Arènes.   *At the Hotel des Arènes.*

JC : Ça se trouve où ?   *Where is that then?*

FS : C'est dans la rue Monge, près du Jardin des Plantes.   *It is in rue Monge, near the Jardin des Plantes.*

JC : Ah oui. Je vois. Vous avez une belle chambre ?   *Oh, yes. I see. Do you have a nice room?*

FS : J'ai une chambre au troisième étage.   *I have a room on the third floor.*

JC : Elle est tranquille, j'espère.   *I hope it's quiet.*

À la maison • At Home

FS : Malheureusement, il y a pas mal de bruit, mais la chambre est propre. Et j'ai une salle de bains.	*Unfortunately, it is quite noisy, (unhappily, there is quite a lot of noise), but the room is clean and I have a bathroom.*
JC : Ah bon. Et l'hôtel est bien situé ?	*Good. And is the hotel well situated?*
FS : Le métro Monge est à 100 mètres.	*The underground station, Monge, is 100 metres away.*
JC : Vous êtes là depuis quand ?	*How long have you been there?*
FS : Depuis jeudi.	*Since Thursday.*

Dialogue 3   Alain Couboules (AC), Jean-Pierre Teindas (JPT)

AC : Où habitez-vous ?	*Where do you live?*
JPT : J'habite Montmartre, dans la rue Cortot.	*I live in Montmartre, in rue Cortot.*
AC : Quel numéro ?	*Which number?*
JPT : Numéro neuf.	*Number nine.*
AC : Vous n'habitez pas l'ancienne maison de Renoir ?	*Do you live in what was previously Renoir's house?*
JPT : Non. Ça, c'est le numéro 12. Moi, j'habite en face.	*No, that's number 12. I live opposite.*
AC : Qu'est-ce que vous avez comme habitation ?	*What sort of flat do you have?*
JPT : Un appartement meublé.	*A furnished appartment.*
AC : Vous louez ?	*Do you rent it.*
JPT : Oui. Bien sûr.	*Yes, of course.*
AC : C'est cher ?	*Is it expensive?*
JPT : C'est assez bon marché.	*It is quite reasonable.*
AC : Vous habitez seul ?	*Do you live alone.*
JPT : Oui. Seul.	*Yes, on my own.*

 Pas mal, assez, très, trop are modifiers: words which alter the meaning of another word.

Il y a	beaucoup de *(viel)* pas mal de *(ziemlich viel)* un peu de *(wenig)*	bruit.

Mon appartement est	assez *(quite)* très *(very)* trop *(too)*	cher.

À la maison • At Home

Comment ça se dit • How to say it

1. Comment demander où quelqu'un habite.
How to ask where somebody lives.

Où habitez-vous ? – Qu'est-ce que vous avez comme habitation ? –	J'habite Nous habitons	un studio.
		une maison particulière.
		un appartement (meublé).
		un immeuble.
		un deux pièces.
		un hôtel.

2. Comment demander depuis combien de temps on occupe une habitation.
Asking how long someone has lived in their flat or house.

Vous	habitez Paris êtes là	depuis	combien de temps ? quand ?	–	Depuis	20 ans. jeudi. le week-end. avril.

The days

dimanche	– Sunday
lundi	– Monday
mardi	– Tuesday
mercredi	– Wednesday
jeudi	– Thursday
vendredi	– Friday
samedi	– Saturday

The months

janvier	– January	juillet	– July
février	– February	août	– August
mars	– March	septembre	– September
avril	– April	octobre	– October
mai	– May	novembre	– November
juin	– June	décembre	– December

3. Comment décrire la situation d'une habitation.
How to describe the position of a flat.

La maison L'hôtel	est bien situé(e)	–	Le métro Un supermarché L'autobus	est	à 100 mètres. tout près. en face.
			Les magasins sont		

À la maison • At Home

4. Comment décrire l'endroit où on habite.
How to describe the area where you live.

Vous habitez	la ville ? la campagne ?	–	J'habite Nous habitons	le centre (de la ville). la banlieue.	
				un quartier	tranquille. industriel. résidentiel.
				un village	à la campagne.

Exercices • Exercises

Exercice 1

Voici une liste de différentes sortes d'habitations.

Here is a list of different types of accommodation.

un appartement
un appartement meublé
un immeuble
un studio
un pavillon
une studette
un trois pièces

une maison
une maison particulière
un deux pièces
une chambre d'étudiant
un H.L.M.
une résidence
un duplex

Regardez les informations ci-dessous.

Look at the information below.

Madame Defarges	– maison
Mademoiselle Polidor	– studio
Mademoiselle Pagès	– appartement
M. et Mme. Roches	– maison particulière
Monsieur Duez	– immeuble
Sylvie Guillon	– chambre d'étudiant

a) Demandez à ces gens où ils habitent :   *Ask these people where they live.*

     Exemple : Vous habitez un appartement, Madame ?

b) Puis, prenez l'autre rôle, et répondez : Oui/Non. J'habite/Nous habitons ... et vérifiez vos réponses en écoutant la cassette.

Now play the other role and answer: yes/no and I live/we live ... Check your answers with the help of the cassette.

     Exemple : Vous habitez un appartement, Madame Defarges ?
                 Non. J'habite une maison.

À la maison · At Home

Maintenant, demandez à quelqu'un d'autre, où habitent ces personnes, et vérifiez vos réponses à la fin du livre.

Now ask somebody else where these people live and check your answers in the answer section in the book.

Exemple : Madame Defarges, elle habite un appartement ?
Non. Elle habite une maison.

Exercice 2

Vous souvenez-vous de ces expressions ?

Do you remember these sentences?

Où habitez-vous ?
Qu'est-ce que vous avez comme habitation ?
Vous êtes là depuis quand ?
La maison est bien située ?
Vous habitez seul ?

Where do you live?
What sort of flat do you have?

How long have you lived there?
Is the house well situated?
Do you live on your own?

Imaginez que vous parlez aux personnes ci-dessous. Prenez les deux rôles et utilisez les expressions ci-dessus.

Imagine you are talking to one of the following people. Play both roles.

a) Madame Saunier habite depuis vingt ans une maison particulière au centre de Mirepoix.
b) Monsieur et Madame Escolier habitent un immeuble dans la banlieue près de la gare de Courbevoie depuis trois ans.
c) Mademoiselle Polidor habite depuis deux mois un studio dans une maison à la campagne. Il n'y a pas de gare, et le seul autobus part pour la ville à 7h30 du matin.

Vérifiez les conversations a) et b) en écoutant la cassette et conversation c) à la fin du livre.

Check your conversations, a) and b), with the help of the cassette and conversation c) in the answer section of the book.

Exercice 3

Henri parle avec un collègue. Il lui demande où il habite. Quelles sont les questions d'Henri ?
Écoutez la cassette et prenez le rôle d'Henri.

Henri is talking to a colleague and asks him where he lives. Can you find out which questions he asks?
Listen to the cassette and play the role of Henri.

À la maison • At Home

Collègue : Bonjour.
Henri: ...
Collègue : À Bordeaux.
Henri :   ...
Collègue : J'habite un appartement.
Henri :   ...
Collègue : Oui. L'autobus est à 50.
mètres.
Henri :   ...
Collègue : Depuis trois mois.

Vérifiez vos réponses à la fin du livre.

Check your answers in the answer section of the book.

Dans la maison • At Home

In this unit you will learn
• how to talk about houses and flats

Dialogues • Dialogues

Dialogue 1   Thérèse Saunier (TS), Yvonne Vernier (YV)

YV : J'aime beaucoup votre maison. C'est le salon ?
I like your house very much. Is this the living room?

TS : Oui. C'est notre salon.
Yes. That is our living room.

YV : Et vous avez une salle à manger ?
And do you have a dining room?

TS : Oui. Elle est à côté.
Yes. It is next door.

YV : Vous avez combien de chambres à coucher ?
How many bedrooms do you have?

TS : Deux. L'une est à Frédéric et moi. L'autre est à Olivier.
Two. One belongs to Frédéric and me. The other one belongs to Oliver.

YV : Ah oui. Bien sûr.
Oh yes. Of course.

À Frédéric; à moi; à Olivier
The fact that something belongs to somebody is expressed in French through the word **à**.

Dialogue 2   Sylvie Guillon (SG), Jean-Pierre Teindas (JPT)

SG : Dis-moi, Jean-Pierre. C'est comment l'appartement des Couboules ?
Jean-Pierre, tell me. What does the Couboules' flat look like?

JPT : Ils ont un très bel appartement. C'est dans la rue Tintorêt.
They have a very nice flat. It is in rue Tintorêt.

SG : Mais oui. Je sais. Mais l'intérieur, c'est comment ?
Yes, I know, but what does it look like from the inside?

JPT : Il y a un salon, une salle à manger, une cuisine, une salle de bains avec WC, et quelques chambres.
There is a living room, a dining room, a kitchen, a bathroom with a toilet and some bedrooms.

SG : Ils ont combien de chambres ?
How many bedrooms do they have?

JPT : Je ne le sais pas.
I don't know.

SG : Et c'est tout ?
It that everything?

JPT : Non. Ils ont un balcon.
No, they don't have a balcony.

Ils ont

The verb **avoir**:	**l'ai**	– *I have*	**nous avons**	– *we have*
to have	**tu as**	– *you have (singular)*	**vous avez**	– *you have (polite form)*
	il/elle a	– *he/she has*	**ils/elles ont**	– *they have*

Un bel appartement

The word **appartement** is masculine and *beautiful* in French in the masculine form is **beau**.

Two vowels which come one after the other do not roll off the tongue. Therefore the French say: **un *bel* appartement**.
Notice that *bel*, when the following nouns begins with a vowel, is masculine, unlike **belle**, the feminine form.

Dialogue 3   Sylvie Guillon (SG), une amie (A)

SG : Tu viens chez moi ?	*Are you coming with me?*
A : Oui. Avec plaisir. Où habites-tu ?	*Yes, I'd like to. Where do you live?*
SG : J'ai un petit studio.	*I have a small studio flat.*
A : Où ça ?	*Where then?*
SG : Dans un immeuble dans l'Avenue de l'Europe.	*In an appartment block, in Avenue de l'Europe.*
A : C'est à Sèvres, n'est-ce pas ?	*That is in Sèvres, isn't it?*
SG : Oui.	*Yes.*
A : C'est quel numéro ?	*Which number?*
SG : C'est le numéro 182, au quatrième.	*Number 182, on the fourth floor.*
A : Il y a un ascenseur, j'espère !	*I hope there's a lift!*

Chez moi, chez vous.

To my house or *at my house; to your house* or *at your house.*

Tu viens; tu habites.
The **Tu-form** in French is the familiar form of address. The verb ends in an **-s**.

tu as	– *you have*	(avoir)
tu es	– *you are*	(être)
tu vas	– *you go*	(aller)
tu viens	– *you come*	(venir)

Dans la maison • At Home

Comment ça se dit • How to say it

1. Comment demander la description d'une habitation.
How to ask for the description of a flat.

C'est comment	votre	maison ? appartement ?
	la maison	de Frédéric ? de Monsieur Couboules ? des Martin ?

Il y a J'ai Il/Elle a Ils/Elles ont	un salon. une salle à manger. une cuisine. une salle de bains. trois chambres. une terrasse. un balcon. un garage. un ascenseur.

2. Comment demander combien de pièces il y a.
Asking how many rooms there are.

Vous avez Il y a	combien de	chambres ? pièces ?

Il y a Nous avons	une	cuisine. salle à manger. salle de séjour.
	deux trois	salles de bains. garages. chambres (à coucher). WC.

Exercices • Exercises

Exercice 1

Imaginez que les appartements ci-dessous sont à vous. Répondez aux questions suivantes et vérifiez vos réponses en écoutant la cassette.

magine the flats, which appear below, belong to you. Answer the following questions and check your statements with the help of the cassette.

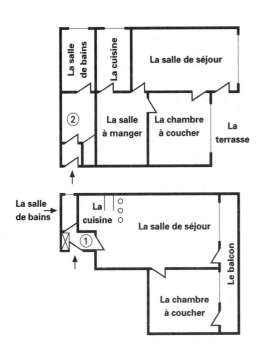

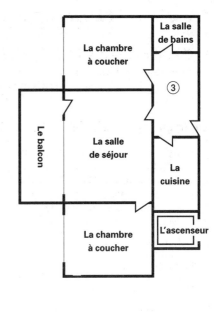

1. Il y a une cuisine ?
2. Il y a une salle de bains ?
3. Il y a des WC ?
4. Il y a une salle de séjour ?
5. Il y a une chambre à coucher ?
6. Il y a un ascenseur ?
7. Il y a un garage ?
8. Il y a une terrasse ?
9. Il y a une salle à manger ?
10. Il y a un balcon ?

Exercice 2

Imaginez que les appartements ci-dessus sont à vous. Donnez une description de chaque en mentionnant les pièces.

Imagine that the aforementioned flats belong to you. Give a full description of each one, by listing which rooms there are.

Pour vous aider, écoutez la cassette.

If you need help, listen to the cassette.

Exercice 3

Donnez une description de votre propre appartement.

Describe your own house.

Bus et trains • Buses and Trains

In this unit you will learn

- how to talk about modes of transport
- to ask when and where buses and trains go to

Dialogues • Dialogues

Dialogue 1   un touriste (T), un conducteur d'autobus (C)

T :	Excusez-moi. Vous allez à la Porte d'Italie ?	*Excuse me. Do you go to the Porte d'Italie?*
C :	Non. Prenez le 47.	*No. Take the number 47.*
T :	Où se trouve l'arrêt ?	*Where is the bus stop?*
C :	Ici même. C'est le prochain bus.	*Just here. It is the next bus.*
T :	Merci.	*Thank you.*

> **Prenez ...**
> The Vous-form of the verb also can be used as an imperative, e.g.
>
> **venez** (venir)   – *come*
> **allez** (aller)   – *go*
> **ne fumez pas** (fumer) – *don't smoke*
> **prenez** (prendre)   – *take*

Dialogue 2   Thérèse Saunier (TS), employé de métro (EM)

TS :	Excusez-moi. Le prochain train va à la Place Monge ?	*Excuse me. Does the next train go to Place Monge?*
EM :	Oui.	*Yes.*
TS :	Il faut changer ?	*Do I have to change?*
EM :	Non. C'est direct.	*No. It goes there directly.*
TS :	Merci.	*Thank you.*

> **Métro**
> Abbreviation for **Métropolitain** – the underground network in Paris.

Dialogue 3   Alain Couboules (AC), employé de la SNCF (ES)

AC :	Le prochain départ pour Chartres, s'il-vous plaît ?	*When is the next train to Chartres, please?*
ES :	Le prochain départ est à 16h05.	*The next departure is at 16.05.*
AC :	D'accord. Et il arrive à Chartres à quelle heure ?	*Ah. And when does the train arrive in Chartres?*

ES : Il arrive à Chartres à 17h25.	*It arrives at 17.25 in Chartres.*
AC : Il faut changer ?	*Do I have to change?*
ES : C'est direct.	*It is direct.*
AC : Il part de quelle voie ?	*Which platform does it leave from?*
ES : Il part de la voie numéro deux.	*It leaves from platform 2.*
AC : Merci.	*Thank you.*
ES : De rien, Monsieur.	*You're welcome.*

SNCF
Abbreviation for **Societé Nationale des Chemins de Fer Français** – the French railway network.

Dialogue 4   Sylvie Guillon (SG), employé du RER (ER)

SG : Excusez-moi. Pour aller à l'Aéroport de Roissy, s'il vous plaît ?	*Excuse me. How do I get to Roissy Airport, please?*
ER : Vous prenez la ligne A1, direction St-Germain-en-Laye.	*Take the A1 in the direction of St-Germain-en-Laye.*
SG : Il faut changer ?	*Do I have to change?*
ER : Oui. Vous changez à Châtelet-les-Halles, et vous prenez la ligne B3, direction Roissy.	*Yes. Change at Châtelet-les-Halles and take the B3 in the direction of Roissy.*
SG : Merci, Monsieur.	*Thank you.*
ER : De rien, Mademoiselle.	*You're welcome.*

RER
Abbreviation for **Réseau Express Régional** – A regional rail network, which provides an express train connection between places within a 50 km radius of Paris and the city centre.

Dialogue 5   Frédéric Saunier (FS), un employé d'hôtel (EH)

FS : Pour aller au Louvre, c'est quelle ligne ?	*Which bus goes to the Louvre?*
EH : C'est la ligne 81.	*The number 81.*
FS : À quelle heure est le prochain départ ?	*When does the next bus go?*
EH : Les bus partent toutes les 20 minutes.	*The buses leave every 20 minutes.*
FS : Où se trouve l'arrêt ?	*Where is the bus stop?*
EH : L'arrêt est en face de l'hôtel.	*The bus stop is opposite the hotel.*

Bus et trains • Buses and Trains

Comment ça se dit • How to say it

1. Comment demander la destination d'un bus ou d'un train.
How to ask where a bus or train goes to.

Vous allez Le prochain train/bus va La ligne numéro 13 va Vous vous arrêtez	à la Porte d'Italie ? à la Place Monge ? au centre ville ? à l'hôpital ? à l'hôtel Beau Séjour ?

Pour aller	à l'aéroport, à Versaille, à la gare routière, à la place St-Michel,	c'est	quel bus ? quel car ? quelle ligne ? quel arrêt ?

(Vous) prenez	le neuf. la direction Galliéni.
(Vous) descendez (Vous) changez	à la mairie. au commissariat de police. à la gare de l'Est. à Étoile.

2. Comment demander l'heure de départ et l'heure d'arrivée.
Asking about departure and arrival times.

Le prochain départ pour	Lyon ? Marseille ?	(C'est à quelle heure ?)
Il y a un train pour	Chartres Lille	bientôt. ce matin ? cet après-midi ?

Le prochain	train bus	part	à	14 h 25. midi quinze.
	départ	est		1 h 20.

Il arrive à	Angers Tours Toulouse	à	3 h 17. minuit. 15 h 30.

Bus et trains • Buses and Trains |

Exercices • Exercises

Exercice 1

Vous voulez savoir l'heure du départ des bus et des trains pour les endroits suivants.
Quelles sont vos questions ?

You would like to know, when the next bus or train goes to these places.

What are you questions going to be?

train	– Cherbourg
train	– Nancy
car	– Fontainebleau
train	– Metz

bus	– St-Germain des Prés
car	– Versailles
train	– Perpignan
train	– Dijon

Vérifiez vos réponses en écoutant la cassette.

Check your answers with the help of the cassette.

Exercice 2

Vous pouvez construire combien de phrases ?

How many sentences can you form?

Vous allez Ce train va Ce bus va	à	Nice ? Jussieu ? l'Hôtel de Ville ?
	au	centre ? théâtre ?

Vérifiez vos réponses à la fin du livre.

Check your answers using the answer section of the book.

Exercice 3

Imaginez que vous êtes touriste à Paris. Qu'est-ce que vous dites dans les situations suivantes ?

Imagine you are a tourist in Paris. What are you going to ask in the following situations?

a) Vous êtes à l'arrêt d'autobus, ligne 42; vous voulez aller à l'Opéra.
b) Vous montez dans un bus à la place de la Concorde; vous voulez aller au Louvre; qu'est-ce que vous demandez au conducteur ?
c) Vous êtes à la station RER de Luxembourg; vous allez à l'aéroport Charles de Gaulle à Roissy, mais vous ne connaissez pas la ligne.
d) Après le théâtre vous voulez retourner à votre hôtel, l'Hôtel des Saisons, vous êtes à l'arrêt d'autobus. Le bus arrive.

e) C'est bien le bus 63 qui va à Maubert-Mutualité, ou un autre ?
f) Vous savez que plusieurs bus vont à la Gare de Lyon. Lesquels ?
g) Pour aller au Palais Royal ?
h) Vous montez dans un bus et vous voulez descendre aux Halles;
   qu'est-ce que vous demandez au conducteur ?

Vérifiez vos réponses en écoutant la cassette.	*Check your answers with the help of the cassette.*

Écoutez bien • Listen carefully!

On the cassette 4 there are some plays, which will help you to understand French better. You will probably not understand everything to begin with. That is not necessary, either. The main thing is to listen out for some important information. Listen to the 1st and 2nd parts (1ère et 2me parties) of the play (Scénette No. 1) often enough until you are able to answer the questions in English or in French. If you want to, you can read the texts afterwards.

Scénette No. 1

Un aller simple
1ère et 2me partie

Where are Annick and Jacques going?
Do they have to change?
At what time does the train depart?

Les relations personelles · People UNITÉ 16

In this unit you will learn
- to express regret when talking to acquaintances
- to say thank you
- to express sympathy
- to describe people and talk about family relationships

Dialogues · Dialogues

Dialogue 1   Jean-Pierre Teindas (JPT), Sylvie Guillon (SG)

JPT : Excuses-moi. Je ne peux plus danser.	*I'm sorry. I can't dance any more.*
SG : Je t'en prie. Ça ne fait rien. Moi aussi je suis fatiguée.	*It's alright. It doesn't matter. I'm also tired.*
JPT : Tu veux boire quelque chose ?	*Would you like something to drink?*
SG : C'est une bonne idée.	*That's a good idea.*
JPT : Qu'est-ce que tu veux ?	*What would you like?*
SG : Moi, je prends un coca.	*I'd like a coke.*
JPT : Bon, moi aussi, je prends un coca. C'est qui, cette fille là-bas ?	*Good, I'd like a coke too. Who is that girl over there?*
SG : C'est Hélène. Elle est la petite amie de Serge.	*That is Hélène. She is the girlfriend of Serge.*
JPT : Elle est très jolie, n'est-ce pas ?	*She is very pretty, isn't she?*
SG : Tu trouves ? Moi, je trouve qu'elle est moche.	*Do you think so? I don't think she looks good at all.*

ne ... plus : *not (any)* **more.**   **Je *ne* peux *plus* danser** : *I can't dance any more.*

ne ... rien : *nothing.*   ***Ce* n'est *rien*** : *That doesn't matter.*

Notice: **Je *ne* peux *plus* boire** :   *I cannot drink anymore.*
Je *ne* veux *rien* boire :   *I do not want anything to drink.*

Dialogue 2   Thérèse Saunier (TS), son amie Véronique (V)

V : Thérèse, ma chère. Je suis désolée. Tu es triste ?	*My dear Thérèse. I'm so sorry. Are you sad?*
TS : Ah oui, je suis bien triste.	*Yes. I am quite sad.*
V : Elle était toujours si affectueuse.	*She was so affectionate.*
TS : C'est vrai. Mitzi était très affectueuse.	*That's true. Mitzi was very affectionate.*
V : Les chats ne sont pas toujours affectueux.	*Cats are not always affectionate.*

Les relations personelles • People

TS :	Non, c'est vrai. Mitzi était très joueuse et très attachante.
V :	Elle avait quel âge ?
TS :	Elle avait douze ans.
V :	Pauvre Mitzi. Accepte mes condoléances.
TS :	Merci.

No, that's right. Mitzi was very playful and very devoted.
How old was she?
She was twelve.
Poor Mitzi. Please accept my sympathy.

Thank you.

Mitzi était ...
Etait ... is the past form of **il/elle est ...**

Notice:

Present:	Past:	
je suis	j'étais	– *I was*
tu es	tu étais	– *you were (singular)*
il est	il était	– *he was*
elle est	elle était	– *she was*
nous sommes	nous étions	– *we were*
vous êtes	vous étiez	– *you were (polite form and plural)*
ils sont	ils étaient	– *they were*
elles sont	elles étaient	– *they were*

Comment ça se dit • How to say it

1. Comment s'excuser auprès de connaissances.
How to express regret when talking to acquaintances.

Pardon.		– Ce n'est pas grave.
Excusez-moi,	je ne peux plus danser.	– Je vous en prie.
Excusez-moi,	je ne peux plus rien manger.	– Ce n'est rien.
Je regrette.		– Ça ne fait rien.

2. Comment remercier quelqu'un.
How to thank someone.

Merci.	C'est très gentil de votre part.
Merci beaucoup.	Vous êtes bien aimable.
Merci bien.	Vous êtes très gentil(le).

Les relations personelles · People

3. Comment exprimer sa sympathie auprès de connaissances.
How to express sympathy.

Je suis désolé(e)	d'apprendre la maladie de	Mitzi. votre femme. Jean-Claude.
triste	d'entendre cette mauvaise nouvelle.	

4. Comment demander si on apprécie quelqu'un.
Asking whether or not someone likes somebody.

Qu'est-ce que vous pensez de d'	Louis Lacroix ? Monsieur Dupont ? Hélène ?
Comment trouvez-vous	Alain Delon ?

Il est Elle est		trop	calme. distingué(e). sympathique.
Je	pense qu'il est trouve qu'elle est	assez un peu	amusant(e). nerveux(se). timide. dynamique. optimiste.
C'est	une fille un homme un type quelqu'un qui est	vraiment très	pessimiste. réservé(e). patient(e). décontracté(e). chic.

5. Comment faire des compliments et remercier.
How to give compliments and thank others for them.

Félicitations !

– Merci beaucoup.

Vous avez	une jolie robe. une belle cravate.

– C'est très gentil de votre part.
– Merci.

Le rouge Votre jupe Cette robe	vous va très bien.

– J'en suis très heureux(se).
– C'est très aimable à vous.

Les relations personelles · People

| Votre | repas
dessert
vin | était/est excellent ! | | – Je vous en remercie. |

Exercices · Exercises

Exercice 1

Voici une liste d'activités plus ou moins sportives que vous pouvez exercer si vous êtes en bonne forme. Écoutez la cassette pour savoir la prononciation.

Here is list of somewhat sporty activities, which you can do when you are in good shape. Listen to how they are pronounced.

danser	– to dance
nager	– to swim
jouer au tennis	– to play tennis
courrir	– to run
marcher	– to walk (ramble)
travailler	– to work
porter la valise	– to carry a suitcase
nettoyer l'appartement	– to clean the flat

Vous pouvez vous excuser avec les phrases suivantes. Écoutez.

You can apologize using the following sentences. Listen carefully.

Excusez-moi.
Je regrette.
Je vous/te demande pardon.
Je regrette beaucoup.

Imaginez que vous êtes trop fatigué(e) pour continuer à faire les activités ci-dessus. Excusez-vous de ne plus pouvoir continuer.

Imagine you are too tired to do the activities mentioned above. Apologize for the fact that you are not able to continue.

Exemple : Excusez-moi. Je ne peux plus marcher.

Vérifiez vos réponses en écoutant la cassette.

Check your answers with the help of the cassette.

Les relations personelles · People

Exercice 2

Voici les membres d'une famille. Écoutez comment se prononcent les relations de famille et répétez-les.

Below is a list of family members. Listen to the pronunciation of the words on the cassette and repeat them.

mari	– femme	husband	– wife
père	– mère	father	– mother
grand-père	– grand-mère	grandfather	– grandmother
fils	– fille	son	– daughter
frère	– sœur	brother	– sister
petit-fils	– petite-fille	grandson	– granddaughter

La famille Leclerc

```
                    Pierre – Jeanne
        ┌──────────────┴──────────────┐
  Annie – Marcel Gabrel        Yves – Michelle Barbier
    ┌─────┼─────┐                ┌─────┼─────┐
  Alice  Serge  Pierre        André  Georges  Alain
```

Regardez l'arbre généalogique, et répondez aux questions.

Look at this family tree and answer the following questions.

Exemple : C'est qui Yves ? Yves est le mari de Michelle ;
il est le père de Georges et le fils de Jeanne.

1. C'est qui, Yves ?
2. C'est qui, André ?
3. C'est qui, Pierre Leclerc ?
4. C'est qui, Marcel Gabrel ?

5. C'est qui, Alice Gabrel ?
6. C'est qui, Alain Barbier ?
7. C'est qui, Annie Gabrel ?
8. C'est qui, Jeanne Leclerc ?

Vérifiez vos réponses à la fin du livre.

Check your answers using the answer section of the book.

Exercice 3

Voici quelques expressions pour décrire les gens. Ecoutez la cassette pour savoir comment elles se prononcent.

Here are some expressions which you can use to describe people. Listen to how they are pronounced.

Les relations personelles • People

snob	– *snobby*
sympathique	– *friendly*
gentil(le)	– *nice*
conscientieux(se)	– *conscientious*
patient(e)	– *patient*
intelligent(e)	– *intelligent*
généreux(se)	– *generous*
toujours de bonne humeur	– *always good humoured*
pensif(ve)	– *pensive*
de mauvaise humeur	– *moody*
en retard	– *not punctual*
superficiel(le)	– *superficial*
bête	– *stupid*
bourgeois(e)	– *bourgeois*
charmant(e)	– *charming*

Maintenant décrivez les personnes suivantes.   *Now describe the following people.*

Marie-France: 21, friendly, good humoured.
Maurice: 30, quite stupid, always late.
Solange: 35, very intelligent, impatient.
Victor: 50, somewhat superficial and nervous.
Marie-Hélène: 43, conscientious, shy.
Philippe: 28, generous and always in a good mood.

Vérifiez vos réponses à la fin du livre.   *Check your answers using the answer section in the book.*

Écoutez bien • Listen carefully!

Listen to parts 3 and 4 (3ᵉ et 4ᵉ parties) of the first play (Scénette No. 1). First of all, just try again to answer the questions. You could listen to the play again from the beginning, if you are enjoying it.

Scénette No.1
3ᵉ et 4ᵉ partie

What does Annik want to buy?
What does she really buy?
What does Jacques buy?

Les passe-temps • Hobbies   UNITÉ 17

In this unit you will learn
- how to talk about your hobbies
- to talk about what you do (and do not) like to eat and drink

Dialogues • Dialogues

Dialogue 1   Jean-Pierre Teindas (JPT), Sylvie Guillon (SG)

SG : Voici mon petit studio.	*This is my small flat.*
JPT : C'est charmant.	*It's very nice.*
SG : C'est très petit.	*It is very small.*
JPT : Ça ne fait rien. Tu as une belle vue.	*That doesn't matter. You have a beautiful view.*
SG : Elle n'est pas mal.	*It isn't bad.*
JPT : Tu t'intéresses au cinéma ?	*Are you interested in the cinema?*
SG : Ah oui. J'adore les films.	*Oh yes. I love films.*
JPT : Tu as des portraits d'acteurs et d'actrices ?	*Have you any portraits of actors and actresses?*
SG : Oui.	*Yes.*
JPT : C'est qui ça ?	*Who is that then?*
SG : C'est Jean-Paul Belmondo.	*That is Jean-Paul Belmondo.*
JPT : Et ça ?	*And that?*
SG : C'est Miou-Miou.	*That is Miou-Miou.*
JPT : Et ça ?	*And that?*
SG : C'est Gérard Depardieu. Tu ne connais pas les acteurs ?	*That is Gérard Depardieu. Do you not know any actors?*
JPT : Non. Je ne m'intéresse pas au cinéma.	*No. I'm not interested in films.*
SG : Dommage !	*Shame!*

Dialogue 2   Sylvie Guillon (SG), Jean-Pierre Teindas (JPT)

SG : Qu'est-ce que tu fais pendant ton temps libre ?	*What do you do in your free time?*
JPT : Je m'intéresse aux langues.	*I'm interested in languages.*
SG : Tu apprends une langue ?	*Are you learning a language?*
JPT : Oui. J'apprends l'allemand.	*Yes. I'm learning German.*
SG : Pourquoi l'allemand ?	*Why German?*
JPT : Oh. J'aime la bière allemande. Et j'ai une voiture allemande.	*Well, I like drinking German beer. And I have a German car.*
SG : Laquelle ?	*Which one?*
JPT : J'ai une Polo.	*I have a Polo.*

Les passe-temps • Hobbies

 Lequel/Laquelle ?
Lequel? relates to a masculine, **laquelle?** relates to a feminine noun.

Exemple :

Stylo m. :	J'ai deux stylos.	**Lequel** veux-tu ? *(which one do you want?)*
Pomme f. :	J'ai deux pommes.	**Laquelle** veux-tu ? *(which one do you want?)*
Stylos m.pl. :	J'ai des stylos.	**Lesquels** veux-tu ? *(which one do you want?)*
Pommes f.pl. :	J'ai des pommes.	**Lesquelles** veux-tu ? *(which one do you want?)*

Dialogue 3   Jacqueline Couboules (JC), un invité (I)

JC : Je vais faire les courses. Qu'est-ce que vous aimez manger ?
I'm going shopping now. What do you eating?

I : J'aime tout.
I like everything.

JC : Bon. Alors, j'achète des artichauts.
Good. I'll buy artichokes, then.

I : Ah. Je n'aime pas trop les artichauts.
Oh. I don't like artichokes very much.

JC : Bon. Pas d'artichauts. Alors, des épinards ?
Alright. No artichokes. What about spinach?

I : Ah. Je n'aime pas les épinards.
Oh, I don't like spinach.

JC : Bon. Pas d'épinards. Alors, un canard à l'orange ? Ça, c'est bon.
Ok, no spinach. What about duck with orange? That's good.

I : Ah. Je n'aime pas la volaille.
Oh, I don't like eating poultry.

JC : Bon. Pas de volaille. Alors, une baguette !! Et de l'eau !!
Good. No poultry. What about baguette!! And water!!

Comment ça se dit • How to say it

1. Comment poser des questions sur les intérêts de quelqu'un.
How to ask about somebody's interests.

Vous avez des passe-temps ?
Qu'est-ce que vous faites quand vous avez du temps libre ?
Qu'est-ce que vous faites pendant votre temps libre ?

Vous vous intéressez	à la musique ? au cinéma ? aux films ? au sport ?

Je lis Il/Elle lit	Paris Match. Le Monde. Le Figaro. Télérama. Elle. Marie-Claire.

Je fais Il/Elle fait	du	yoga. sport. ski. jogging. jardinage. bricolage. vélo.
	de la danse. de l'équitation.	

Je joue Il/Elle joue	au	tennis. foot. tiercé.
	aux	cartes.
	du piano. de la guitare.	

Je m'intéresse Il/Elle s'intéresse	au	cinéma. théâtre.
	à la	musique. photographie. peinture.
	à l'	art moderne/classique/impressioniste.
	aux	langues. autos. films.

2. Comment demander ce que quelqu'un aime manger et boire.

How to ask what someone likes to eat and drink.

Qu'est-ce que vous aimez	manger ? boire ?

J'adore J'aime Je n'aime pas Je n'aime pas trop Je n'aime pas du tout	le poisson. le poulet. le chocolat. les fruits. les épinards. les cuisses de grenouille.

Les passe-temps • Hobbies

Exercices • Exercises

Exercice 1

Voici une liste de quelques passe-temps intéressants. Écoutez comment ils se prononcent.

Here is a list of some interesting hobbies. Listen to how they are pronounced.

Julie	Xavier	Jacotte	Michel
– musique	– théâtre	– cinéma	– concerts
– Paris Match	– Télérama	– Le Nouvel Observateur	– Le Monde
– jogging	– bricolage	– ski	– équitation

Parlez des intérets de Julie, Xavier, Jacotte et Michel et vérifiez vos réponses en écoutant la cassette.

Now say which interests Julie, Xavier, Jacotte and Michel have, and check your answers with the help of the cassette.

Exercice 2

Michel est très dynamique. Il aime beaucoup être en plein air. Jacotte n'aime pas être dehors; elle préfère les occupations qui se passent à l'intérieur. Un journaliste est en train de les interviewer. Prenez le rôle de Michel et/ou de Jacotte et répondez aux questions suivantes.

Michel is full of energy. He likes being out in the fresh air very much. Jacotte does not like being outside. She prefers to occupy herself at home. A journalist asks them about it. Play the role of Michel and/or Jacotte and answer the questions.

Michel, vous vous intéressez à la musique ? Non. Je ...
Jacotte, vous faites du jogging ? Non. Je ...
Michel, vous faites du vélo ? Oui. Je ...
Jacotte, vous vous intéressez au cinéma ? Oui. Je ...
Michel, vous jouez au tennis ? Oui. Je ...

Vérifiez vos réponses en écoutant la cassette.

Check your answers with the help of the cassette.

Exercice 3

Parfois il est nécessaire de dire qu'on n'aime pas un certain plat ou une certaine boisson. C'est important de faire ceci avec politesse. Regardez et écoutez les exemples ci-dessous.

Sometimes it is necessary to say that you do not like a certain food or a certain drink. It is important to do this politely. Look at and listen to the following examples.

A : Vous aimez le poisson ?
B : Non. Je regrette. Je n'aime pas le poisson.
A : Vous mangez du poulet ?
B : Excusez-moi. Je ne mange pas de poulet.
A : Vous aimez le fromage ?
B : Ah oui. J'aime beaucoup le fromage.

Imaginez que vous êtes un végétarien très strict et aussi anti-alcoolique, mais vous aimez tout le reste. Répondez convenablement aux questions ci-dessous.

Imagine you are a strict vegetarian and are against drinking alcohol but you like everything else. Give appropriate answers to the following questions.

Vous prenez un morceau de gâteau du chef ?
Je peux vous offrir un œuf à la coque ?
Vous voulez une tranche de pâté de campagne ?
Vous aimez un bon bifteck, n'est-ce pas ?
Vous prenez un verre de vin avec moi ?

Vérifiez vos réponses en écoutant la cassette.

Check your answers with the help of the cassette.

Écoutez bien • Listen carefully!

Now listen to the 5th part (5e partie) of the first play (Scénette No. 1) until you can answer the following questions.

Scénette No.1
5e partie

Which seat does Annick have?
Which seat does Jacques have?
What job does Jacques do?
What job does Annick do?

Au restaurant • Eating out

In this unit you will learn

- how to reserve a table
- how to order in a restaurant
- how to ask your partner what he / she would like to eat

Dialogue • Dialog

Dialogue   Frédéric Saunier (FS), Thérèse Saunier (TS),
patron du restaurant (PR), serveur (S)

PR : Chez Gaston. Bonsoir.	*Gaston's. Good evening.*
FS : Bonsoir. Je voudrais réserver une table pour ce soir.	*Good evening. I would like to reserve a table for this evening.*
PR : Oui, Monsieur. Pour quelle heure ?	*Yes. For what time?*
FS : Vous avez une table pour 9 heures ?	*Do you have a table free at 9 o'clock?*
PR : Bien sûr. C'est à quel nom ?	*Of course. Which name?*
FS : Saunier.	*Saunier.*
PR : Pour combien de personnes ?	*For how many people?*
FS : Une table pour deux, s'il vous plaît.	*A table for two, please.*
FS : Bonsoir. J'ai réservé une table.	*Good evening. I have reserved a table.*
PR : Oui, Monsieur. C'est à quel nom ?	*Yes. Under which name?*
FS : Saunier.	*Saunier.*
PR : Ah oui, Monsieur Saunier. Par ici, s'il vous plaît. Cette table vous convient ?	*Oh, yes. Mr Saunier. Come here, please. Is this table alright?*
FS : Très bien, merci.	*Very good, thank you.*
FS : Qu'est-ce que tu prends comme hors-d'œuvre, chérie ?	*What would you like for your starter, darling?*
TS : Moi, je prends le pâté de campagne. Et toi ?	*I'm having the liver pâté. And you?*
FS : Moi, je prends la salade de tomates. Et comme plat principal ? Qu'est-ce que tu prends ?	*I'm having the tomato salad. And for the main course? What would you like?*
TS : Moi, je prends le rôti de veau. J'aime beaucoup le rôti.	*I'm having the roast veal. I like roasted meat.*
FS : Et moi, je prends l'escalope panée.	*And I'm having the viennese schnitzel.*
FS : Garçon !	*Waiter!*
S : Oui, Monsieur. Vous êtes prêt à commander ?	*Yes. Are you ready to order?*
FS : Oui. Comme hors-d'œuvre, je prends la salade de tomates, et ma femme prend le pâté.	*Yes. For the starter I would like the tomato salad and my wife will have the pâté.*
S : Le pâté de campagne, oui Monsieur.	*The liver pâté. Yes.*

Au restaurant • Eating out

FS :	Ma femme prend le rôti de veau et moi, je prends l'escalope panée.
S :	D'accord, Monsieur. Qu'est-ce que je vous sers à boire ?
FS :	Donnez-moi la carte des vins, s'il vous plaît.
S :	Tout de suite, Monsieur.

My wife would like the roast veal and I'll have the viennese schnitzel.
Yes, alright. What would you like to drink?
Would you give me the wine list, please.
Just coming.

Comment ça se dit • How to say it

1. Comment demander ce que quelqu'un voudrait manger et boire, et comment commander.

How to ask what somebody would like to eat and drink, and how to order it.

Qu'est-ce que	tu prends	à	boire ? manger ?
	vous prenez	comme	boisson ? entrée ? viande ? légumes ? dessert ?

Je prends Je voudrais Pour moi, Nous prenons	la salade de tomates. la soupe à l'oignon. le filet de boeuf. la côte de porc. les pommes frites. le plateau de fromages. la crème caramel. les fruits. un café.

2. Comment réserver une table dans un restaurant.

How to reserve a table at a restaurant.

Je voudrais réserver (Est-ce que) vous avez	une table	pour ce soir ? pour demain ? pour jeudi prochain ?

Pour quelle heure ? –

Vous avez une table	pour huit heures ? pour neuf heures ?

Au restaurant • Eating out

Pour combien de personnes ? –	(Une table) pour	deux quatre	personnes, sil vous plaît.

C'est à quel nom ? –

C'est au nom de	Saunier. Dupont.

3. Comment commander les boissons.
How to order drinks.

Serveur :	Qu'est-ce que vous prenez comme boisson ?		Du vin ? De la bière ? De l'eau minérale ?
Vous :	Du vin	Un apéritif.	Un thé.
Serveur :	Rouge ? Rosé ? Blanc ?	Dubonnet ? Martini ? Suze ?	À la menthe ? Un tilleul ? Une camomille ?
Vous :	Vous avez du Beaujolais ?	Vous avez un Pernod ?	Vous avez une verveine ?
Serveur :	Non. J'ai un Côtes-du-Rhône.	J'ai du Porto.	Oui.
Vous :	Bon. Un Côtes-du-Rhône.	Bien. Un Porto.	Bon. Une verveine.

Exercices • Exercises

Exercice 1

Imaginez que vous êtes dans un restaurant. Composez deux conversations différentes avec le garçon d'après les informations ci-dessous. Vous aurez besoin de la carte à la page 99.
Quand vous saurez ce que voulez dire écoutez la cassette et prenez votre rôle dans la conversation. Le rôle du garçon est enregistré. Pour vérifier vos réponses, regardez à la fin du livre.

Imagine you are in a restaurant. Make up two different conversations with a waiter according to the information below. You will need to look at the menu on page 99. When you have decided what you would like to say, listen to the gapped conversation on the cassette and answer the waiter's questions. Check your answers using the answer section in the book.

Au restaurant • Eating out

Conversation 1

You and your friend have hardly any money left at the end of your holiday. Therefore you want to order the cheapest starter and the cheapest main course for you and your friend. You cannot allow yourself any wine either and order water instead.

Conversation 2

You go out to eat with a business colleague. As you would like to impress him, you order the most expensive starter for you and your colleague and you order the best and the most expensive meat dish, too. Do not forget to ask for the wine list. Afterwards you are so full, that you cannot eat any dessert, but you order coffee.

Menu du Chef

Cannelonis maison « spécialité » (5 €)
Soupe de poissons (4 €)
Potage de légumes (4 €)
Artichaut vinaigrette (4 €)
Pamplemousse au sucre (2 €)
Saucisson, beurre (3 €)
Salade de tomates (2 € 50 centimes)
Filets de harengs pommes à l'huile (4 € 50 centimes)

* * * * *

Gigot d'agneau rôti (12 €)
Sauté de veau aux champignons (13 €)
Escalope panée (12 €)
Truite meunière (11 €)
Foie d'agneau persillé (11 €)
Cervelle d'agneau meunière (10 €)
Poulet rôti (9 € 50 centimes)

* * * * *

Épinards à la crème (2 €)
Pommes frites (2 €)
Pommes vapeur (1 € 50 centimes)
Salade verte (1 € 50 centimes)
Pâtes fraîches au beurre (2 €)

* * * * *

Tarte maison (3 €)
Salade de fruits (3 € 50 centimes)
Fromages (2 €)
Glaces (1 € 50 centimes)

* * * * *

Au restaurant · Eating out

Écoutez bien · Listen carefully!

Listen now to the 6th and 7th parts (6ᵉ et 7ᵉ parties) of the 1st role play (Scénette No. 1), again as often as necessary, until you can answer the following questions.

Scénette No. 1
6ᵉ et 7ᵉ parties

What do Annick and Jacques do during the journey to Lyon?
What does Annick want to do in Voiron?
What does Jacques want to do in Voiron?

Les hôtels · Hotels

In this unit you will learn

- how to book a room in an hotel

Dialogues · Dialogues

Dialogue 1   Frédéric Saunier, réceptionniste (R)

R :	(Téléphone sonne) Allô. Hôtel du Clocher. Bonjour.	*Hotel du Clocher. Hello.*
FS :	Bonjour. Vous avez une chambre pour le cinq mai, s'il vous plaît ?	*Hello. Do you have a room free for the fith of May, please?*
R :	Pour une personne ou pour deux personnes ?	*A single or a double room?*
FS :	Pour une personne.	*A single room, please.*
R :	Pour combien de nuits ?	*For how many nights?*
FS :	Pour une nuit.	*For one night.*
R :	J'ai une chambre pour une nuit.	*I have a room for one night.*
FS :	Avec salle de bains ?	*With a bathroom?*
R :	Oui. Avec salle de bains.	*Yes. With a bathroom.*
FS :	C'est à quel prix ?	*What does it cost?*
R :	40 €, Monsieur.	*40 €.*
FS :	Vous n'avez rien de moins cher ?	*Do you not have anything cheaper?*
R :	Non. Je regrette.	*No. I'm afraid we don't.*
FS :	Bon. Alors je la prends.	*Alright, then I'll take it.*
R :	C'est à quel nom ?	*Which name, please?*
FS :	Saunier.	*Saunier.*
R :	D'accord, Monsieur Saunier. Vous pouvez envoyer une confirmation ?	*Ok, Mr Saunier. Could you confirm the booking in writing?*
FS :	Oui. Certainement.	*Yes. Of course.*
R :	Merci. Au revoir, Monsieur.	*Thank you. Goodbye.*
FS :	Au revoir.	*Goodbye.*

Dialogue 2   Jacqueline Couboules (JD), réceptionniste (R)

JD :	Bonjour.	*Hello.*
R :	Bonjour, Madame.	*Hello.*
JD :	Je voudrais deux chambres, s'il vous plaît. Une pour mon époux et moi, et une autre pour mes deux enfants.	*I would like two rooms, please. One for my husband and I and one for my two children.*
R :	Oui, Madame. Vous avez réservé ?	*Have you made a reservation?*
JD :	Non. Je n'ai pas réservé.	*No. I have not reserved.*
R :	Pour combien de nuits ?	*For how many nights?*
JD :	Pour deux nuits.	*For two nights.*

Les hôtels · Hotels

R : J'ai une chambre avec un grand lit. Et une chambre avec deux lits.

I have a room with a double bed and a room with two beds.

JD : Bon, d'accord. Vous pouvez me dire le prix, s'il vous plaît ?

Yes. That's alright. Could you tell me the price, please?

R : La chambre avec un grand lit est à 20 €. Et la chambre avec deux lits est à 30 €.

The double room costs 20 €. The twin room costs 30 €.

JD : C'est avec salle de bains ?

Is that with a bathroom?

R : Les deux chambres sont avec douche et WC.

Both rooms have a shower and a toilet.

JD : Le petit déjeuner est compris ?

Is breakfast included?

R : Non, Madame. Il n'est pas compris. Le petit déjeuner est à 5 € par personne.

No. Breakfast is not included in the price. Breakfast costs 5 € per person.

JD : D'accord. Je peux voir les chambres, s'il vous plaît ?

Alright. Could I look at the rooms, please?

R : Oui. Certainement, Madame. Voilà, les clefs. C'est la chambre 27, et la chambre 28. Suivez-moi, je vous prie.

Yes. Of course. Here are the keys. Rooms 27 and 28. Come with me.

Hotels in France

In most hotels you pay for the room and not per person.
It is also sometimes possible to accommodate a whole family in one room for the price of a room with two or three beds.

Many hotels, above all the older ones, are equipped with "large beds" for couples. There is therefore no wooden frame dividing the two halves of the bed and the beds might possibly only be covered with a wide blanket and a bedspread.

Les hôtels • Hotels

UNITÉ 19

Comment ça se dit • How to say it

1. Comment réserver une chambre dans un hôtel.
How to book an hotel room.

a) **quelle sorte de chambre.**
(what sort of room).

Je voudrais	une chambre deux chambres	à un lit. pour une personne. pour deux personnes. pour mon époux (épouse) (et moi-même). pour mes enfants.	
		avec	téléphone. douche et WC. salle de bains. balcon.

b) **pour quand.**
(for when).

pour	le dix le vingt le trente	mai. juin. août.

c) **pour combien de temps.**
(for how long).

pour	une nuit.	
	deux trois	nuits.
	une semaine. quinze jours.	

2. Comment se renseigner au sujet de la restauration.
How to ask about meal arrangements.

On peut prendre	le dîner le petit déjeuner	ici ? chez vous ?

Les hôtels • Hotels

(Est-ce que) vous faites	demi-pension ? pension complète ? restaurant ?

3. Le départ.
The departure.

Vous pouvez préparer la note, s'il vous plaît ?

Je peux payer	par chèque ? avec Visa ?

Exercices • Exercises

Exercice 1

Vous voulez réserver une chambre. Les chiffres ci-dessous indiquent la sorte de chambre que vous désirez.

You would like to book a room. The numbers indicate the type of room, that you want to reserve.

1. = Une chambre pour une personne.
2. = Une chambre pour deux personnes.
3. = Avec salle de bains.
4. = Avec douche.
5. = Avec télévision.

Les chiffres en ( ) indiquent combien de temps vous voulez rester.

The numbers in ( ) indicate how long you would like to stay.

Exemple : (1) = une nuit
(2) = deux nuits
(7) = une semaine

Maintenant réservez ces chambres.

Now book the following rooms.

a)	1		(1)	f)	1	3	(7)
b)	2	4	(2)	g)	2	5	(2)
c)	1	3	(1)	h)	2	4	(1)
d)	2		(7)	i)	2	3	(1)
e)	2	4	(3)	j)	1	5	(2)

Vérifiez vos réponses en écoutant la cassette.

Check your answers with the help of the cassette.

Exercice 2

Vous voulez réserver une chambre pour un certain temps.	*You would like to book a room for a particular date.*

1.	(1)	30.03. – 31.03.	6.	(3)	02.08. – 05.08.
2.	(4)	06.12. – 10.12.	7.	(5)	04.11. – 09.11.
3.	(7)	20.01. – 27.01.	8.	(2)	28.07. – 30.07.
4.	(2)	07.10. – 09.10.	9.	(4)	23.02. – 27.02.
5.	(1)	12.05. – 13.05.	10.	(7)	08.06. – 15.06.

Vérifiez vos réponses en écoutant la cassette.	*Check your answers with the help of the cassette.*

Exercice 3

Vous voulez réserver une chambre dans un hôtel. Écoutez la conversation suivante; il manque votre rôle.	*You would like to reseve a room in an hotel. Listen to the gapped conversation on the cassette and play your role.*

Réception : Hôtel des Arcades. Bonjour.
Vous :   …
Réception : Pour une, ou pour deux personnes ?
Vous :   …
Réception : Pour combien de nuits ?
Vous :   …
Réception : Oui. J'ai une chambre pour une personne.
Vous :   …
Réception : Oui. Avec salle de bains.
Vous :   …
Réception : C'est à 20 €.
Vous :   …
Réception : C'est à quel nom ?
Vous :   …
Réception : Bon. Vous pouvez envoyer une confirmation ?
Vous :   …
Réception : Merci.
Vous :   …
Réception : Au revoir.

Vérifiez vos réponses à la fin du livre.	*Check your answers using the answer section in the book.*

Les hôtels · Hotels

Écoutez bien · Listen carefully!

Listen now to the last part (8ᵉ partie) of the first role play (Scénette No. 1) and answer the following questions. If you want to, you could also listen to the whole play once again. You will be amazed at how much you can understand now!

Scénette No. 1
8ᵉ partie

What does Jacques suggest?
Where in Voiron does Jacques live?
Where in Voiron does Annick live?

Des conseils • Giving Advice

In this unit you will learn

- how to ask whether or not one must do something
- how to give information about yourself

Dialogues • Dialogues

Dialogue 1   Jean-Pierre Teindas (JPT), Sylvie Guillon (SG)

SG : Qu'est-ce qu'on fait aujourd'hui ?	*What shall we do today?*
JPT : Tu connais le Château de Versailles ?	*Do you know the castle at Versailles?*
SG : Non.	*No.*
JPT : Bon. Il faut y aller.	*Well, we should go there then.*
SG : Qu'est-ce qu'il y a à voir ?	*What is there to see?*
JPT : Il faut voir les Grands Apparte-ments. Il faut voir la Galerie des Glaces.	*You should look at the palatial rooms. You should see the Galary of Mirrors.*
SG : C'est tout ?	*Is that all?*
JPT : Mais non. Mais non. Il faut absolu-ment visiter le Petit Trianon, et le Grand Trianon.	*Oh no. Oh no. We should definitely visit the small Trianon and the big Trianon.*
SG : Il faut combien de temps pour visi-ter tout ça ?	*How much time do we need, to visit everything?*
JPT : Il faut passer toute une journée.	*We should spend a whole day there.*
SG : Mais non. Quelle horreur ! Je ne veux pas passer toute une journée dans un vieux château ! Il faut faire autre chose.	*Oh no, that's terrible! I don't want to spend a whole day in an old castle! We should do something else.*
JPT : Quoi, par exemple ?	*What, for example?*
SG : Moi, je voudrais faire une prome-nade en bateau-mouche sur la Seine.	*I would like to go for a trip in a pleasure steamer along the Seine.*
JPT : Vraiment ?	*Really?*
SG : Oui, vraiment !	*Yes, really!*
JPT : Bon. D'accord. Comme tu voudras.	*Alright. As you wish.*

Dialogue 2   Alain Couboules (AC), son patron (P)

P : Vous allez où en vacances ?	*Where are you going on holiday?*
AC : Je vais en Allemagne.	*I'm going to Germany.*
P : Ah bon. Où ça ?	*Oh yes. Where exactly?*
AC : Je vais à Berlin.	*I'm going to Berlin.*

Des conseils • Giving Advice

P :	Ça, c'est intéressant. Vous connaissez Berlin ?	That's interesting. Do you know Berlin?
AC :	Non. Pas du tout. Qu'est-ce qu'il faut visiter ?	No. Not at all. What should one see there?
P :	D'abord il faut voir la Porte Brandebourg. Et puis, il faut monter à la Tour de Télévision. Et il faut aller à Potsdam, à Sanssouci.	First of all, you should look at the Brandenburg Gate. And then you should go up the television tower. You should also go to Potsdam, to Sanssouci.
AC :	Qu'est-ce que c'est ça ?	What's that then?
P :	C'est un très beau château de l'époque du Roi Frédéric II, roi de Prusse.	It is a very beautiful castle from the time of Frederick II of Prussia.
AC :	Il faut avoir un visa pour l'Allemagne ?	Do you need a visa for Germany?
P :	Non. Ce n'est pas nécessaire. Mais n'oubliez pas votre appareil photo.	No. That's not necessary. But don't forget to bring your camera with you.
AC :	Ah oui. Et il faut acheter une pellicule !	Oh yes. I'll have to buy a film.

Comment ça se dit • How to say it

1. Comment demander s'il faut faire quelque chose.
How to ask whether or not you should do something.

	avoir	un visa ?
Il faut	passer	toute une journée ?
	aller	à Paris ?

Qu'est-ce qu'on fait?

The French very often say **on** (one) instead of the **nous**-form of the verb, above all when making suggestions as e.g.
(lit.: *what does one do?*)

Il *faut* y aller. Il *faut* voir la galerie.
In English we say: *We must go there* or: *You must go there; I must see the galary* or: *He must see the galary.*

Il faut, is used when you want to emphasise that it is urgent, necessary or important to do something. The thing that should be done, e.g. *going there* or *seeing*, is indicated through an infinitive in French.
In French, it is a neutral expression that is used.

Des conseils • Giving Advice

> **Il faut combien de temps? Il faut une heure.**
> To express the sense of the verb *to need*, the expression **il faut** is also used in connection with a noun.
> E.g: **une heure** : *one hour*
> Il faut combien de temps? *How long do we need?*
> Il faut une heure. *We need an hour.*
>
> **Une bateau-mouche**
> The **bateaux-mouche** are famous tourist pleasure steamers which travel along the Seine in Paris.

2. Comment dire ce qu'il faut faire.

How to say what somebody should do.

	acheter	une pellicule.
	monter	à la Tour de Télévision.
Il faut	voir	le Louvre.
	aller	à Paris.
	visiter	le château.

3. Comment dire que quelque chose n'est pas nécessaire.

How to say that something is not necessary.

Il faut visiter le Grand Trianon ? Non, ce n'est pas nécessaire.
Il faut faire une promenade en bateau-mouche ? Non, ce n'est pas nécessaire.
Il faut avoir un visa ? Non, ce n'est pas nécessaire.

Exercices • Exercises

Exercice 1

Voici une liste de choses dont vous aurez peut-être besoin en vacances.

Here is a list of things, which you might need during the holidays.

des lunettes de soleil	– sunglasses
une brosse à dents	– toothbrush
un maillot de bain	– swimming costume
un passeport	– passport
des tickets	– tickets
de l'argent	– money
une carte	– map
une raquette de tennis	– tennis racket
des chaussures de football	– football boots
un parapluie	– umbrella

Des conseils • Giving Advice

Regardez la liste ci-dessus, quelles choses faut-il apporter dans les circonstances ci-dessous ?	*Look at the list. Which things must one take under the circumstances described below?*

Exemple : It's raining. – Il faut apporter mon parapluie.

1. What should you take with you, when you go shopping?
2. You want to play football.
3. You would like to play tennis.
4. You are planning a trip to the countryside.
5. You want to go to the theatre.
6. It is hot and you want to go to the swimming pool.
7. You want to spend your holiday abroad.
8. You stay for the weekend with friends in the country.
9. It is raining.
10. There is a cloudless sky.

Vérifiez vos réponses en écoutant la cassette.	*Check your answers with the help of the cassette.*

Exercice 2

Regardez une page de l'agenda de Jean-Pierre. Qu'est-ce qu'il doit faire pendant la semaine ?	*Look at this page from Jean-Pierre's diary. What does he have to do on each day of the week?*

Exemple : Dimanche ? Il faut visiter Versailles.

Lundi ?	Vendredi ?
Mardi ?	Samedi matin ?
Mercredi ?	Samedi soir ?
Jeudi ?	Dimanche ?

```
              AGENDA
   Dimanche      – visiter Versailles
   Lundi         – réserver chambre, Hôtel de la Poste
   Mardi         – acheter collier pour Sylvie
   Mercredi      – téléphoner à Sylvie
   Jeudi         – acheter raquette
   Vendredi      – aller à Montmartre
   Samedi matin  – faire du jogging
   Samedi soir   – réserver table, Chez Max
```

Vérifiez vos réponses à la fin du livre.	*Check your answers using the answer section of the book.*

Écoutez bien · Listen carefully!

In this unit a new play begins (Scénette No. 2). Listen to the 1st part (1ère partie), again as often as necessary, until you are able to answer the corresponding questions.

Scénette No. 2

Un coup de téléphone
1ère partie

Who has arrived in Paris?
Is he on holiday?
Where does he come from?
Did his wife come with him?
What is he doing this evening?

In this unit you will learn

- how to make suggestions
- how to ask somebody to join in
- how to ask whether or not someone can do something
- to ask and to talk about how often you do something

Dialogues · Dialogues

Dialogue 1   Jean-Pierre Teindas (JPT), Sylvie Guillon (SG),
une copine à Sylvie : Annick (A)

SG : Il fait beau.	*It is a beautiful day.*
JPT : Qu'est-ce qu'on va faire ?	*What shall we do?*
SG : On va à la piscine ?	*Shall we go to the swimming pool?*
PT : Bonne idée.	*Good idea.*
SG : Annick, elle sait nager ?	*Can Annick swim?*
JPT : Je ne sais pas. Annick, il fait beau. On va à la piscine ?	*I don't know. Annick, it's a nice day. Shall we go swimming?*
SG : Tu sais nager ?	*Can you swim?*
A : Ben oui. J'adore nager.	*Yes. I love swimming.*
JPT : Moi, je ne nage pas tellement bien.	*I can't swim very well.*
A : Ça ne fait rien. On y va ?	*That doesn't matter. Let's go.*
JPT : D'accord.	*Alright.*

Annick, elle sait nager? Je ne sais pas.

Notice: the verb **savoir** means in English can in the sense of: I know how to do something, e.g. *I can swim* = **je sais nager**.

Savoir also means to *know*. *I don't know* = **je ne sais pas**.

Dialogue 2   Thérèse Saunier (TS), savoisine Juliette Aragon (JA)

JA : Où est Frédéric aujourd'hui ?	*Where is Frédéric today?*
TS : Au bord de la rivière, je suppose.	*On the river bank, I suppose.*
JA : Qu'est-ce qu'il fait là ?	*What is he doing there?*
TS : Il est allé à la pêche.	*He's gone angling.*
JA : Il va souvent à la pêche ?	*Does he often go angling?*
TS : Oh oui ! Quatre ou cinq fois par semaine à peu près. Je suis toujours seule.	*Oh yes. About four or five times a week. I am always on my own!*
JA : Pourquoi n'allez-vous pas avec lui ?	*What don't you go with him?*
TS : Je ne sais pas pêcher. Et votre mari ? Où est-il ?	*I don't know how to angle. What about your husband, where is he?*

Jeux et sports · Games and Sport

JA :	C'est dimanche. Il joue au foot.	*It is Sunday. He is playing football.*
TS :	Il joue souvent ?	*Does he often play football?*
JA :	Il joue tous les dimanches; tous les mardis; et il s'entraîne tous les jeudis. Je suis toujours seule.	*He plays every Sunday; he goes to training every Tuesday and Thursday. I'm always on my own.*
TS :	Pourquoi n'allez-vous pas avec lui ?	*Why don't you go with him?*
JA :	Le foot, ça ne m'intéresse pas.	*I'm not interested in football.*

Il joue au foot = *he plays football*
Notice that you say **au / à la** with types of sport. **Je joue *au* foot; je joue *aux* cartes.** With musical instruments, however, you say **de / du / de la**.
Je joue *de la* guitare. Il joue *du* piano.

Comment ça se dit · How to say it

1. Comment proposer de faire quelque chose.
How to suggest doing something.

On va	à la pêche ? à la piscine ?	Ah, non ! Oui, volontiers.
On joue	au foot ? au tennis ? aux cartes ?	Avec plaisir. C'est une bonne idée.
On fait	une promenade ? du cheval ? une randonnée ?	Bien sûr. D'accord. Pourquoi pas !
On danse ? On lit ?	On sort en voiture ?	

2. Comment demander si quelqu'un sait faire quelque chose.
How to ask whether or not someone can do something.

Vous savez Tu sais Il/Elle sait Il/Elle ne sait pas	danser ? nager ? chanter ? pêcher ? jouer au foot ? jouer au bridge ? jouer du piano ? conduire ?
Je ne sais pas	danser.

3. Comment demander si quelqu'un fait quelque chose souvent.

Asking whether or not someone does something often.

Vous allez		à la pêche ?
Vous jouez	souvent	au rugby ?
Vous faites		des promenades ?

Je vais Il/Elle va	à la pêche, à la piscine,	
Je joue Nous jouons	au bridge, au tennis,	tous les jours. tous les samedis.
Je fais Mon fils fait	la cuisine, du ski, des randonnées, des courses,	trois fois par semaine. de temps en temps.
Je m'entraîne		quand j'ai le temps.
Nous nous entraînons		quand nous avons le temps.

Je vais Nous jouons	souvent rarement	au marché. aux boules.

Exercices • Exercises

Exercice 1

Proposez à une autre personne de faire les activités ci-dessous.

Suggest to someone else that you do one of the activities listed below.

lire	– *reading*
faire du cheval	– *horse riding*
aller à la piscine	– *going to the swimming pool*
sortir en voiture	– *going for a drive*
jouer de la guitare	– *playing the guitar*
danser	– *dancing*
faire une promenade	– *walking*
faire une randonnée	– *hiking*
jouer au bridge	– *playing bridge*

Vérifiez vos réponses en écoutant la cassette.

Check your answers with the help of the cassette.

Exercice 2

Demandez à quelqu'un s'il sait faire les activités ci-dessous.	*Ask someone whether or not they can do the activities listed below.*

Exemple : Vous savez nager ?
Marie-Hélène, elle sait nager ?

horse riding	swimming
driving a car	playing the guitar
dancing	playing cards
skiing	singing
cooking	playing tennis

Vérifiez vos réponses à la fin du livre.	*Check your answers using the answer section in the book.*

Exercice 3

Vous rencontrez Mathieu. Il aime jouer au football et aux cartes. Il aime faire du ski et des promenades, etc. Il adore le sport.	*You meet with Mathieu. He likes playing football and cards. He also likes skiing and going for walks. He loves all types of sport.*
Vous rencontrez Madeleine. Elle n'aime pas nager; elle n'aime pas faire du cheval et elle n'aime pas jouer au tennis, etc.	*You meet Madeleine. She doesn't like dancing, swimming, riding doesn't like playing tennis.*
Elle aime seulement les activités qu'on pratique en salle. Proposez des activités à Mathieu et à Madeleine. Voici quelques exemples des conversations.	*She only likes types of sport which you can do inside. Make suggestions to Mathieu and Madeleine. Here are some suggested patterns for conversations.*

Vous : Mathieu, on joue au foot ?
Mathieu : Oui. Bonne idée.

Vous : Madeleine, on fait du cheval ?
Madeleine : Non, je ne sais pas faire du cheval.

Proposez à Mathieu :	Proposez à Madeleine :
a) de jouer au football	a) d'aller danser
b) de faire du cheval	b) de faire du ski
c) de jouer aux cartes	c) de jouer aux cartes
d) de jouer au tennis	d) de jouer au football
e) d'aller à la piscine	e) de regarder la télévision

Vérifiez vos réponses à la fin du livre.	*Check your answers using the answer section of the book.*

Écoutez bien • Listen carefully!

Listen now to the 2nd part (2ᵐᵉ) of the 2nd play (Scénette No. 2) as long as you need to, until you can answer the corresponding questions.

Scénette No. 2
2ᵐᵉ partie

What sort of job does Serge do?
Does he have to do travel a lot?
Does René still work?
Does Thérèse still work?

Les cas d'urgence • Emergencies

In this unit you will learn
- how to get help in the case of a breakdown
- how to arrange a doctor's appointment

Dialogues • Dialogues

Dialogue 1   Frédéric Saunier (FS), Thérèse Saunier (TS), employé du
Touring Club de France (TCF)

TS : Écoute ! C'est un drôle de bruit.   *Listen! That's a strange noise.*
FS : C'est vrai.   *You're right.*
TS : Qu'est-ce que c'est ?   *What is it?*
FS : Je ne sais pas.   *I don't know.*
TS : Arrête ! Regarde la vapeur.   *Stop! Look at the steam.*
FS : Merde ! C'est le radiateur. Ça bout.   *Damn! It's the radiator. It's over-heating.*
TS : Il faut appeler le Touring Club de   *We should phone the Touring Club de*
France. Il y a un téléphone là-bas.   *France. There is a telephone over there.*
Dépêche-toi !   *Hurry!*

TCF : Allô. Touring Club de France.   *Hello. Touring Club de France.*
FS : Je suis en panne.   *My car has broken down.*
TCF : Donnez-moi votre numéro d'im-   *Give me your registration number,*
matriculation.   *please.*
FS : 3129 ON 05.   *3129 ON 05.*
TCF : Vous avez quelle marque de voi-   *What sort of car do you have?*
ture ?
FS : Une Volkswagen.   *A Volkswagen.*
TCF : Elle est de quelle couleur ?   *What colour is it?*
FS : Elle est rouge.   *It's red.*
TCF : Donnez-moi le numéro de téléphone.   *Give me the number of this telephone.*
FS : 237.   *237.*
TCF : Où êtes-vous ?   *Where are you?*
FS : Sur la route nationale 113, à   *On the Route Nationale (trunk road)*
30 kilomètres de Toulouse, près   *113, 30 kilometres from Toulouse, near*
de Villefranche.   *Villefranche.*
TCF : Vous êtes abonné au Touring Club ?   *Are you a member of the Touring Club?*
FS : Bien sûr.   *Yes.*
TCF : J'envoie quelqu'un tout suite. Il   *I'll send someone straight away. He will*
sera là dans une demie-heure.   *be there in half an hour.*
FS : Merci.   *Thank you.*

Merde
This word is probably the most widely used swear word in French. The
intensity of this expression is similar to that of *damn!* or *shit!*

Les cas d'urgence • Emergencies

Dialogue 2   Jacqueline Couboules (JC), réceptionniste (R)

R : Bonjour. Le cabinet du Docteur Escolier.	Hello. Doctor Escorlier's surgery.
JC : Bonjour. Je voudrais prendre rendez-vous pour voir le docteur.	Hello. I would like an appointment with the doctor.
R : C'est de la part de qui ?	Which name?
JC : Jacqueline Couboules.	Jacqueline Couboules.
R : Oui, Madame. Vous voulez venir quand ?	Yes. When would you like to come?
JC : C'est possible ce matin ?	Would this morning be possible?
R : Non. Je regrette. Ce matin ce n'est pas possible. Vous pouvez venir ce soir à six heures et demie ?	No. I'm afraid it's not possible this morning. Would you be able to come at 18.30 this evening?
JC : D'accord. À six heures et demie, ce soir. Au revoir.	Yes. Alright. At 18.30, this evening. Goodbye.
R : Au revoir, Madame.	Goodbye.

Notice that the word order is different in French, e.g.:

Vous pouvez venir ce soir …?
Could you come this evening …?

In French the infinitive comes immediately after the modal verb.

Comment ça se dit • How to say it

1. Comment dire où se trouve une voiture.

How to say where your car is.

Je suis Nous sommes	sur	la route nationale (N 39). l'auto-route (A 25).		
	à	10 kilomètres 25 kilomètres	de	Brive. Dijon. Rennes.
	près de pas loin de	Villefranche. Pau.		

2. Comment dire à quelqu'un de faire quelque chose.
Asking someone to do something.

Tu-form	Vous-form
Arrête. Écoute.	Arrêtez Écoutez.
Dépêche-toi. Attends-moi. Regarde-ça.	Dépêchez-vous. Attendez-moi. Regardez-ça.

3. Comment dire l'heure
How to tell the time.

1 h 00	Il est une heure.	2 h 00	Il est deux heures.
3 h 05	Il est trois heures cinq.	4 h 10	Il est quatre heures dix.
3 h 55	Il est quatre heures moins cinq.	4 h 50	Il est cinq heures moins dix.
6 h 15	Il est six heures et quart.	7 h 30	Il est sept heures et demie.
8 h 45	Il est neuf heures moins le quart.	9 h 00	Il est neuf heures du matin.
21 h 00	Il est neuf heures du soir.	17 h 00	Il est cinq heures de l'après-midi.
12 h 00	Il est midi.	0 h 00	Il est minuit.
13 h 00	Il est treize heures.	17 h 45	Il est dix-sept heures quarante-cinq.

Aujourd'hui	*today*	Demain après-midi	*tomorrow afternoon*
Ce matin	*this morning*	Demain soir	*tomorrow evening*
Cet après-midi	*this afternoon*	Hier	*yesterday*
Ce soir	*this evening*	Hier matin	*yesterday morning*
Demain	*tomorrow*	Hier après-midi	*yesterday afternoon*
Demain matin	*tomorrow morning*	Hier soir	*yesterday evening*

4. Comment prendre rendez-vous chez le médecin.
How to make a doctor's appointment.

Je voudrais prendre rendez-vous pour voir	le docteur. le docteur Escolier. le dentiste.

C'est de la part de qui ?
Vous voulez venir quand ?
Vous pouvez venir à quatre heures ?
Vous pouvez venir demain ?

Les cas d'urgence • Emergencies

Exercices • Exercises

Exercice 1

Vous souvenez-vous du dialogue numéro deux ? Répétez la conversation ci-dessous en prenant le rôle de Jacqueline Couboules.

Do you remember Dialogue 2? Then play the role of Jacqueline Couboules in the following gapped conversation.

Réception : Bonjour. Le cabinet du Docteur Escolier.
Jacqueline C. : *(You would like an appointment)*
Réception : C'est de la part de qui ?
Jacqueline C. : *(Say your name)*
Réception : Vous voulez venir quand ?
Jacqueline C. : *(This morning)*
Réception : Non. Je regrette. Ce matin ne va pas. Vous pouvez venir ce soir à six heures et demie ?
Jacqueline C. : *(You'll come at this time?)*
Réception : Au revoir, Madame

Vérifiez vos réponses, en écoutant la cassette.

Check your answers with the help of the cassette.

Exercice 2

Complétez cette conversation de la même façon. Le rôle de la réceptionniste se trouve sur la cassette.

Complete this conversation in the same way. The role of the receptionist is on the cassette.

Réception : Bonjour. Le cabinet du Docteur Letombe.
Vous : *(You would like an appointment)*
Réception : C'est de la part de qui ?
Vous : *(Say your name)*
Réception : Vous voulez venir quand ?
Vous : *(Tomorrow morning)*
Réception : Non. Je regrette. Vous pouvez venir demain après-midi à 16 h 45 ?
Vous : *(Is that alright for you?)*
Réception : Au revoir.

Vérifiez vos réponses à la fin du livre.

Check your answers using the answer section of the book.

Exercice 3

Écoutez encore une fois le dialogue numéro 1. Imaginez que vous êtes en panne sur l'autoroute. Vous avez une Mercedes rouge NEA-RX 104. Vous téléphonez de la borne d'appel qui se trouve à 15 kilomètres de Senlis sur la A 1 vers Paris. Complétez la conversation ci-dessous. Le rôle de l'employé du TCF est sur la cassette.

Listen to dialogue 1 again. Then imagine your car has broken down on the motorway. You have a red Mercedes, registration NEA-RX104. You phone from an emergency telephone on the A1, 15 kilometres from Senlis, in the direction of Paris. Complete the gapped conversation with the relevant information. The role of the TCF is on the cassette.

Vous: *(Your car has broken down)*
TCF : Donnez-moi votre numéro d'immatriculation.
Vous: …
TCF : Vous avez quelle marque de voiture ?
Vous: …
TCF : Elle est de quelle couleur ?
Vous: …
TCF : Donnez-moi le numéro de téléphone.
Vous: …
TCF : Où êtes-vous ?
Vous: …
TCF : Vous êtes abonné au Touring Club de France ?
Vous: …
TCF : J'envoie quelqu'un tout de suite.
Vous: …

Faites le même exercice encore une fois. Imaginez cette fois que vous avez une Porsche jaune, 3129 ON 05; vous êtes sur la route nationale 10, à 22 kilomètres de Tours et vous allez vers Vendôme.

Repeat the exercise once again. Imagine you have a yellow Porsche with the registration 3129 ON 05. You are travelling on the Route Nationale 10, 22 kilometres from Tours, in the direction of Vendôme.

Vérifiez vos réponses à la fin du livre.

Check your answers using the answer section of the book.

 On the motorways in France there are emergency telephones. They are connected directly to the nearest breakdown service. On normal trunk roads, (routes nationales), drivers have to phone the **Touring Club de France** or a garage from a telephone box in an emergency.

Les cas d'urgence • Emergencies

Écoutez bien • Listen carefully!

Listen now to the third part (*3ᵉ partie*) of the second role play (*Scénette No. 2*) as often as is necessary, until you are able to answer the corresponding questions.

Scénette No. 2
3ᵉ partie

Since when is Jean no longer a pupil?
Where does he work now?
Was he a conscientious student?
What does he want to do now?
Do his parents approve?
What does Jean want to do in two or three weeks' time?

Les fautes · Faults

In this unit you will learn
- how to apologise
- to describe how something does not work
- how to get something repaired

Dialogues · Dialogues

Dialogue 1   Jeune femme (JF), jeune mari (JM)

JM : Merde !	*Damn!*
JF : Qu'est-ce qu'il y a ?	*What has happened?*
JM : J'ai cassé une assiette.	*I've broken a plate.*
JF : C'est mon assiette favorite ! Un cadeau de papa.	*That's my favourite plate! A present from my dad.*
JM : Je te demande pardon, chérie. Tu m'excuses, dis ?	*I'm really sorry, Darling. Please excuse me.*
JF : Tu es vraiment maladroit.	*You are really clumsy.*

Dialogue 2   Alain Couboules (AC), Jacqueline Couboules (JC), employé
à la Quincaillerie Catena (QC)

JC : Le moulinex ! Il est en panne.	*The mixer! It's broken.*
AC : Ça ne m'étonne pas. Il est bien vieux.	*That doesn't surprise me. It is quite old.*
(Quelque temps plus tard)	
JC : Ce moulinex. Regardez. Il est en panne.	*Look at this mixer. It is broken.*
QC : Oui. L'interrupteur est cassé. Je peux vous commander une pièce de rechange.	*Yes. The switch is broken. I can obtain a replacement part for you.*
JC : Ça coûtera combien ?	*What does that cost?*
QC : 10 €. Peut-être 20 €.	*10 €. Maybe 20 €.*
JC : Et cet appareil là-bas ? Il est à combien ?	*And the mixer over there? What does that cost?*
QC : Il coûte 48 €, Madame.	*It costs 48 €.*
JC : J'y réfléchirai.	*I'll think about it.*

Dialogue 3   Thérèse Saunier (TS), employé de l'entreprise Cadiz-Galy
(Dépannages Radio-Télé) (CG)

TS : Bonjour. Vous pouvez m'aider ?	*Hello. Could you help me?*
CG : Bonjour, Madame.	*Hello.*
TS : C'est mon appareil de télévision. Il y a quelque chose qui ne va pas.	*It's my television set. It isn't working properly.*

Les fautes · Faults

CG : Qu'est-ce qu'il y a ?	What is wrong with it then?
TS : Les couleurs sont mauvaises.	The colours aren't very good.
CG : C'est tout ?	Is that all?
TS : Non. Il fait un drôle de bruit.	No. It makes a strange noise.
CG : Bon.	Ok.
TS : Vous pouvez me le réparer ?	Would you be able to repair it for me?
CG : J'envoie quelqu'un aussitôt que possible.	I'll send someone as soon as possible.
TS : Merci. Il peut venir ce soir ? Je ne veux pas manquer le western sur la Une.	Thank you. Could he come this evening? I don't want to miss the western on channel one.
CG : Je ferai de mon mieux.	I will do my best.
TS : Merci.	Thank you.

Comment ça se dit · How to say it

1. Comment s'excuser et répondre à des excuses.

How to apologise and how to respond to apologies.

Pardon.
Excusez-moi.

Excuse Excusez	mon retard.

Je suis (vraiment) désolé(e)

Je	vous te	demande pardon.

Ce n'est pas	de	ta votre	faute.
	grave.		

Il n'y a pas de	quoi. mal.

Je vous en prie.
Ce n'est rien.

2. Comment dire que quelque chose est cassée ou ne marche pas.
Explaining that something is broken or does not work.

J'ai cassé	une fenêtre. une tasse. une assiette. un vase.

L'interrupteur La boucle Mon rasoir Mon séchoir La suspension	est cassé(e).

Le moteur L'embrayage La télé	ne	marche	pas (bien).
Les freins Les vitesses Les essuie-glaces		marchent	

3. Comment demander une réparation ou un remplacement.
How to get something repaired or ask for a replacement part.

Vous pouvez me	le la les	reparer remplacer ?

Le	= masculine	in singular, e.g.: mon séchoir.
La	= feminine	in singular, e.g.: ma boucle.
Les	= masculine or feminine	in plural, e.g.: les freins.

Il vous faut combien de temps? = *How long will it take?*

Exercices · Exercises

Exercice 1

Écoutez le dialogue suivant.

Listen to the following dialogue on the cassette.

Employé : Bonjour, Madame.
Touriste : Bonjour. Vous pouvez m'aider ?
          Mon séchoir ne marche pas bien.

Les fautes · Faults

Employé : Qu'est-ce qu'il a ?
Touriste : Il fait un drôle de bruit.
Employé : Bon.
Touriste : Vous pouvez me le réparer ?
Employé : Je ferai de mon mieux.
Touriste : Il vous faut combien de temps ?
Employé : Revenez demain matin.
Touriste : Merci.

Prenez le rôle d'un touriste. Le rôle de l'employé est sur la cassette.	*Play the role of the tourist. The salesperson's statements are on the cassette.*

1. Votre rasoir ne marche pas bien.	*Your shaver is not working properly.*
2. Votre montre retarde.	*Your watch is slow.*
3. La mise au point de votre appareil ne marche pas.	*Your camera is not focussing properly.*
4. L'alarme de votre réveilmatin ne marche pas.	*The alarm on your clock is not working.*
5. Votre radio fait un drôle de bruit.	*Your radio is making strange noises.*

Vérifiez vos réponses à la fin du livre.	*Check your statments in the answer section of the book.*

Exercice 2

Si votre voiture est en panne, il vous faudra peut-être téléphoner pour demander de l'aide. Lisez le dialogue suivant qui sert de modèle et écoutez la cassette.	*If your car breaks down, you might have to phone to fetch help. Read the following dialogue model and listen to it on the cassette.*

Employé du
Touring Club
de France :   Touring Club de France, bonjour.
Conducteur
d'auto :   Bonjour. Vous pouvez m'aider, s'il vous plaît ?
TCF :   Qu'est-ce qu'il y a ?
C :   Je suis en panne.
TCF :   Vous êtes où ?
C :   Entre Carcassone et Quillan.
TCF :   Qu'est-ce que vous avez comme voiture ?
C :   J'ai une Polo.
TCF :   Quel est votre nom ?
C :   Leclerc. L-E-C-L-E-R-C.
TCF :   Qu'est-ce qu'elle a, votre voiture ?
C :   La courroie du ventilateur est cassée.

Les fautes • Faults

TCF :	Vous êtes abonnée au Touring Club de France ?
C :	Oui.
TCF :	Ne quittez pas votre voiture. J'envoie quelqu'un tout de suite.
C :	Merci.

Le rôle de l'employé du Touring Club de France est sur la cassette. Prenez le rôle d'un touriste en utilisant les informations ci-dessous.

The role of the TCF employee is on the cassette. Play the role of the tourist according to the information given below.

1. Votre Mercedes 190 est en panne entre Angers et Tours. Vous croyez que la batterie est à plat.

   Your Mercedes 190 has broken down between Angers and Tours. You think that the battery has gone flat.

2. Votre Audi 100 est en panne entre Bourges et Issoudun. Le radiateur est cassé.

   Your Audi 100 has broken down between Bourges and Issoudun. The radiator is broken.

3. Votre Ford Sierra est en panne entre Nantes et Ancenis. Le moteur fait un drôle de bruit.

   Your Ford Sierra has broken down between Nantes and Ancenis. The engine is making stranges noises.

4. Votre Renault 12 est en panne près de Brive. Le pare-brise est cassé.

   Your Renault 12 has broken down near Brive. The windscreen is broken.

5. Votre Mazda 626 est en panne entre Tarbes et Pau. Les essuie-glaces ne marchent pas.

   Your Mazda 626 has broken down between Tarbes and Pau. The windscreen wipers are not working.

6. Votre 2CV est en panne entre Montauban et Albi. Le tuyau d'échappement est cassé.

   Your 2 CV has broken down between Montauban and Albi. The exhaust is broken.

Vérifiez vos réponses à la fin du livre.

Check your answers using the answer section of the book.

Exercice 3

Il arrive parfois des accidents, et alors il faut s'excuser poliment. Dans une telle situation les phrases suivantes peuvent vous être utiles.

Accidents happen sometimes and then you must apologise politely. In this sort of situation the following expressions are useful.

> Exemple : Je suis vraiment désolé(e).
> J'ai cassé une tasse.
> Je vous demande pardon.

Maintenant excusez-vous pour les accidents ci-dessous.

Now apologise for the following accidents.

Les fautes · Faults

a) You have broken a vase. (cassé un vase)
b) You have spilt wine on a tablecloth. (renversé du vin sur la nappe de table)
c) You have lost your key. (perdu votre clef)
d) You have burnt a hole in the bedspread. (brûlé la couverture et fait un trou)
e) You have let the bath overfill. (laissé déborder i'eau de la baignoire)
f) You have trodden on the cat. (marché sur le chat)

Vérifiez vos réponses en écoutant la cassette.

Check your answers with the help of the cassette.

The Past Tense

Pay attention to the following points:

1. The past tense is forms either with the auxillary verb **avoir** *(to have)* or with **être** *(to be)* and with the past tense form of the main verb, called "participle", e.g. **cassé** *(broken)*, **renversé** *(spilt)*.

2. So-called "regular" verbs can be divided into three categories, depending on their endings in the infinitive.

   A: mang**er** *(to eat)*, called **-ER**, e.g. also casser, renverser *(to break, to spill)*
   B: perd**re** *(to lose)*, called **-RE**, e.g. also attendre *(to wait)*.
   C: chois**ir** *(to choose)*, called **-IR**, e.g. also finir *(to finish)*.

These three types of verb have different participle forms.

Verbtyp **-ER**		Verbtyp **-RE**		Verbtyp **-IR**	
j'ai tu as il/elle a	Participle form	j'ai tu as il/elle a	Participle form	j'ai tu as il/elle a	Participle form
nous avons vous avez ils/elles ont	mang**é**	nous avons vous avez ils/elles ont	perd**u**	nous avons vous avez ils/elles ont	chois**i**

Les fautes · Faults

UNITÉ 23

3. As you might expect, there are not only regular verbs but also, unfortunately, irregular verbs and these are the most important, of course.

Participle forms

avoir *(to have)*: EU
boire *(to drink)*: BU
comprendre *(to understand)*: COMPRIS
connaître *(to know)*: CONNU
croire *(to believe)*: CRU
devoir *(to have to, must)*: DÛ
dire *(to say)*: DIT
être *(to be)*: ÉTÉ

faire *(to make, to do)*: FAIT
mettre *(to put)*: MIS
pouvoir *(to be able to)*: PU
prendre *(to take)*: PU
savoir *(to know)*: SU
venir *(to come)*: VENU
voir *(to see)*: VU
vouloir *(to want)*: VOULU

4. Furthermore, there is nothing left to do other than to learn whether or not a verb forms its past tense with avoir or être. Only sixteen verbs form their past tense with être. The majority of them express movement. The easiest way of remembering thes verbs is to learn by heart their infinitives and participles as pairs.

Participle Forms

aller *(to go)* : ALLÉ
venir *(to come)* : VENU
revenir *(to come back)* : REVENU
devenir *(to become)* : DEVENU

arriver *(to arrive)* : ARRIVÉ
partir *(to leave)* : PARTI

sortir *(to go out)* : SORTI
entrer *(to enter, to go in)* : ENTRÉ
rentrer *(to go home)* : RENTRÉ

monter *(to go up)* : MONTÉ
descendre *(to decend)* : DESCENDU

naître *(to be born)* : NÉ
mourir *(to die)* : MORT

rester *(to stay)* : RESTÉ
tomber *(to fall)* : TOMBÉ

retourner *(to return)* : RETOURNÉ

N.B. The writer apologizes to the reader for these difficulties.
It is, however, not his fault.

Les fautes · Faults

Écoutez bien · Listen carefully!

Now listen to the last part (4ᵉ partie) of the second play (Scénette No. 2) as often as necessary, until you are able to answer the corresponding questions. If you want to, you could listen to the whole play once again.

Scénette No. 2
4ᵉ partie

What does Serge want to do now?
What is his wife called?
What does he invite René and Thérèse to?

In this unit you will learn

- to say that you are ill
- to describe the syptoms of an illness
- to ask about medication for an illness

Dialogues · Dialogues

Dialogue 1   Sylvie Guillon (SG), pharmacien (Ph)

SG : (À la pharmacie) Pardon. Vous avez quelque chose pour une crise de foie ?

(At the chemist's) Excuse me. Do you have anything for an upset stomach?

Ph : Qu'est-ce que vous avez exactement ?

What is it exactly?

SG : J'ai la diarrhée. Et j'ai mal à la tête.

I have diarrhoea and I have a headache.

Ph : Vous avez ça depuis quand ?

Since when have you had that?

SG : J'ai la diarrhée depuis hier.

I've had diarrhoea since yesterday.

Ph : Je vais vous donner un médicament contre la diarrhée.

I'll give you some medicine for the diarrhoea.

SG : Merci.

Thank you.

Ph : Et il faut acheter des aspirines pour votre mal de tête.

For your head you should buy aspirin.

SG : Il faut en prendre combien ?

How many of those should I take?

Ph : Les indications sont sur le flacon.

The instructions are on the bottle.

Dialogue 2   Jean-Pierre Teindas (JPT), médecin (M)

M : Qu'est-ce qu'il y a ?

What is wrong?

JPT : Je crois que je me suis tordu la cheville.

I think I've twisted my ankle.

M : Bon. Ça vous fait mal ?

Oh. Does it hurt?

JPT : Ah oui, ça me fait très mal.

Yes, it hurts a lot.

M : Vous pouvez décrire la douleur ?

Can you describe the pain?

JPT : Ça fait mal quand je marche.

It hurts, when I walk.

M : Je comprends. Je vous recommande de rester quelques jours au lit. Et plus de football.

I see. I advise you to stay in bed for a few days. Don't play any football, either.

JPT : Non, docteur.

No, doctor.

 Bon
Notice that the word **bon** is often used in French. This word can mean *good*. Very often, however, it has the meaning of *so* or *I see*. It can also be used as a synonym for *well* e.g., wenn you want to indicate to somebody that the conversation will take on a new direction from now on.

La maladie • Illness

Comment ça se dit • How to say it

1. À la pharmacie.
At the chemist's

a) Comment décrire une maladie d'importance secondaire.
How to describe an illness

J'ai mal	au	ventre. cœur.
	à la	tête. gorge.

I have stomach ache.
I don't feel well.

I have a headache.
I have a sore throat.

Je ne peux pas dormir – *I cannot sleep.*

b) Comment décrire certains symptômes.
How to describe certain symptoms.

	la grippe.
	un coup de soleil.
	un rhume.
J'ai	mal aux dents.
	de la fièvre.
	la diarrhée.
	une gueule de bois.

I have influenza.
I have sunstroke.
I have a cold.
I have toothache.
I have a high temperature.
I have diarrhoea.
I have hangover.

Vous avez une ordonnance ? – *Do you a prescription?*

Prenez ça	avant de vous coucher. deux fois par jour. après les repas.

Je vais vous donner	une crème quelque chose	contre	les piqûres. l'insolation.
	un tube d'aspirine. une bouteille de sirop. des comprimés. un médicament. des pastilles.		

La maladie · Illness

2. Chez le médecin.
At the doctor's

J'ai mal	au foie. au dos. à la jambe. à l'oreille. aux dents.

I have liver problems.
I have backache.
My legs hurt.
I have earache.
I have toothache.

J'ai été piqué(e) par *(gestochen)*	une guêpe. une abeille. un moustique.

I have been stung by a   *wasp.*
                            bee.
                            gnat.

Où est-ce que ça vous fait mal ?	*Where does it hurt?*
Ça vous fait mal depuis quand ?	*Since when has it hurt?*
Vous avez ça depuis longtemps ?	*Have you had that for long?*
Je peux voir votre langue ?	*Could I have a look at your tongue?*
C'est la première fois que vous avez ça ?	*Is it the first time you've had it?*
Ça vous fait très mal ?	*Does it hurt a lot?*

Ça me fait mal J'ai de la fièvre J'ai la diarrhée	depuis	hier. une semaine. le week-end. trois jours.

Exercices · Exercises

Exercice 1

Dites que ces parties du corps vous font mal. Si vous voulez, écoutez la cassette pour la prononciation.	*Say that the following parts of the body hurt. If you want to, listen to the pronunciation on the cassette first of all.*

1. votre tête
2. votre jambe
3. votre pied
4. votre main
5. votre dos

6. votre bras
7. votre ventre
8. votre oreille
9. votre genou
10. votre gorge

La maladie · Illness

Exercice 2

Qu'est-ce que vous diriez si :

What do you say when:

1. you have toothache?
2. you have eaten too many cherries?
3. you have drunk too much wine the night before?
4. you have a cough?
5. your ear hurts?
6. you have a high temperature?
7. your foot is red?
8. you have diarrhoea?
9. you have fallen on your knee?

Vérifiez vos réponses en écoutant la cassette.

Check your answers with the help of the cassette.

Exercice 3

Prenez le rôle du malade dans le dialogue suivant. Le rôle du médecin est sur la cassette.

Play the role of a patient in the following dialogue. The role of the doctor is on the cassette.

Malade	Médecin
1. Dites bonjour au médecin.	2. Qu'est-ce qu'il y a ?
3. Dites que vous avez mal à la gorge.	4. Vous avez ça depuis quand ?
5. Dites que ça a commencé il y a deux jours.	6. Je vais vous donner quelque chose pour ça.

Prenez le rôle du malade dans les circonstances ci-dessous.

Play the role of the patient in the following circumstances.

a) Vous avez mal au dos depuis trois semaines.
b) Vous avez la diarrhée depuis hier.
c) Vous avez mal aux dents depuis trois jours.
d) Vous avez de la fièvre depuis deux jours.

Vérifiez vos réponses à la fin du livre.

Check your answers using the answer section of the book.

La maladie · Illness

Écoutez bien · Listen carefully!

A new play (Scénette No. 3) begins in this unit. Listen to the first part (1ère partie) as often as necessary, until you are able to answer the following questions.

Scénette No. 3

Chez soi
1ère partie

Where does the Arville family live?
What sort of flat do they have?
Why are they talking about Grandma?
Which suggestion does Jacotte make?
Is Jean-Paul for or against taking in Grandma?

Les vacances • Holidays

In this unit you will learn
* how to talk about (future-) plans
* how to express intentions

Dialogues • Dialogues

Dialogue 1   Alain Couboules (AC), une collègue (C)

C : Vous partez en vacances cette année ?	Are you going on holiday this year?
AC : Oui. Bien sûr.	Yes. Of course.
C : Vous allez à l'hôtel ?	Are you staying in an hotel?
AC : Non. On va partir avec la caravane.	No. We're taking a caravan.
C : Vous allez vers le nord ou le sud ?	Are you going to the north or to the south?
AC : S'il fait chaud, on va rester en Bretagne. Mais probablement on ira sur la Côte d'Azur.	If the weather is hot we will stay in Bretagne. But we will probably go to the Côte d'Azur.
C : Vous connaissez la Côte ?	Do you know the Côte?
AC : Oui. Je connais un petit camping près de St-Tropez.	Yes. I know a small campsite near St.-Tropez.

Dialogue 2   Thérèse Saunier (TS), sa voisine (V)

V : Vous partez en vacances cette année, Madame Saunier ?	Are you going on holiday this year, Mrs Saunier?
TS : Oui. On va partir en avril.	Yes. We're going in April.
V : Vous partez pour combien de temps ?	How long are you staying?
TS : On va partir pour quinze jours.	We're staying for a fortnight.
V : Vous allez où, Madame Saunier ?	Where are you going to?
TS : Mon mari et moi allons au Maroc.	My husband and I are going to Morocco.
V : À Tanger ?	To Tanger?
TS : Oui. À Tanger.	Yes. To Tanger.
V : C'est une ville très intéressante !	That is a very interesting town!
TS : Oui. Je crois.	Yes. I can believe that.
V : Vous connaissez le Maroc ?	Do you know Morocco?
TS : Non. Pas du tout. C'est la première fois.	No. Not at all. It will be the first time.
V : Qu'est-ce que vous allez faire ?	What will you do?
TS : Eh bien. On va passer pas mal de temps sur la plage, j'espère. Et je vais visiter la casbah.	Well. I hope we will spend quite a lot of time on the beach. And I would like to visit the casbah.

Les vacances • Holidays

V : Ah oui. La casbah. C'est très inté- ressant.	*Oh yes. The casbah is very interesting.*
TS : Vous connaissez le Maroc ?	*Do you know Morocco?*
V : Ah oui. Très bien. Mon mari et moi, nous y allons souvent.	*Yes. Very well. My husband and I often go there.*
TS : Vraiment ?	*Really?*

Quinze jours
In English we say a "fortnight" instead of "two weeks". In French this is also possible, except they add a day and so the expression is called "quinze jours".

Comment ça se dit • How to say it

1. Comment poser des questions sur les intentions de votre interlocuteur.

How to ask about the (future-) plans of your interlocutor.

Vous partez en vacances (cette année) ? –	Bien sûr.	*Of course.*
	Certainement.	*Certainly.*
	Sans doute.	*Without doubt.*
	Probablement.	*Maybe/perhaps.*
	Peut-être.	
	Ce n'est pas sûr.	*It's not certain.*

Vous partez pour combien de temps ?
Vous allez où ?
Vous allez seul(e) ?
Vous allez avec votre femme ?
Vous allez avec quelqu'un ?
Vous voyagez comment ?
Qu'est-ce que vous avez l'intention de faire ?

Les vacances • Holidays

2. Comment exprimer une intention.

How to express an intention.

On va	partir	en avril. avec la caravane. pour quinze jours.	
	rester	en Bretagne. au bord de la mer.	
	aller	en France. sur la Côte d'Azur.	
Je vais	passer	une semaine dans les Pyrenées. pas mal de temps sur la plage. quinze jours à Paris.	
	faire	du ski. des randonnées. de la pêche.	
		des promenades	en vélo. en voiture.
Nous allons	au Maroc. à Tanger. à la montagne. en Suisse.		

Exercices • Exercises

Exercice 1

Voici quelques moyens de transport.

Here are some modes of Transport.

Je vais partir		
	en voiture	*by car*
	en avion	*by aeroplane*
	par le train	*by train*
	en bateau	*by boat*
	en ferry	*by ferry*
	en aéroglisseur	*by hovercraft*
	à vélo	*by bicycle*

Vous allez visiter les endroits ci-dessous avec les moyens de transport indiqués.

You are going to visit the following places using the mode of transport mentioned.

Exemple : Paris – avion
   L'année prochaine je vais à Paris. Je vais partir en avion.

Maintenant, c'est à vous.

1. Paris – train
2. Londres – avion
3. La Corse – bateau
4. Rome – voiture

5. Vienne – train
6. Douvres – aéroglisseur
7. Copenhague – train
8. Le Caire – avion

Vérifiez vos réponses en écoutant la cassette.

Check your answers with the help of the cassette.

Exercice 2

Écoutez la cassette. Le rôle A est enregistré ; c'est à vous de mettre le rôle B. Parlez de vos propres plans de vacances.

Listen to the cassette and fill the gaps between the different utterances from role A by playing role B. Talk about your own holidays.

Rôle A

1. Vous allez où en vacances cette année ?
3. Vous partez pour combien de temps ?
5. Vous allez seul(e) ?
7. Vous voyagez comment ?
9. Qu'est-ce que vous avez l'intention de faire en vacances ?

Rôle B

2. Dîtes où vous allez.
4. Dites pour combien de temps.
6. Dites si vous partez avec quelqu'un.
8. Dites comment vous voyagez.
10. Dites ce que vous allez faire.

Écoutez bien · Listen carefully!

Now listen to the second part (2ᵐᵉ partie) of the third play (Scénette No. 3) as often as necessary, until you can answer the corresponding questions.

Scénette No. 3
2ᵐᵉ partie

Is it likely that Grandma would like to live in a rest home?
Why is there a problem with space if Grandma lives with the family?
What would be a problem for Jacotte, in particular, if the family took in Grandma?
Why does Jean-Paul think it very important that the family take in Grandma?

Les invitations • Invitations

In this unit you will learn

- how to make invitations
- how to politely decline an invitation
- how to accept an invitation

Dialogues • Dialogues

Dialogue 1   Jean-Pierre Teindas (JPT), Sylvie Guillon (SG)

AG : Allô, oui ?	*Hello?*
JPT : C'est toi, Sylvie ?	*Is it you, Sylvie?*
SG : Oui. C'est moi, Jean-Pierre. Bonjour.	*Yes. It's me, Jean-Pierre. Hello.*
JPT : Bonjour. Tu es libre ce soir ?	*Hello. Are you free this evening?*
SG : Ce soir ? Mais oui.	*This eveining? Why, yes.*
JPT : Tu veux aller au concert ?	*Would you like to go to a concert?*
AG : Quel concert ?	*Which concert?*
JPT : Il y a un concert de jazz au Sofitel. On y va ?	*There is an jazz concert in Sofitel. Shall we go?*
SG : Oui. Je veux bien.	*Yes. I'd like to.*
JPT : Bon. On se retrouve dans le foyer ?	*Ok. Let's meet in the foyer.*
SG : D'accord. Dans le foyer. À quelle heure ?	*Agreed. In the foyer. At what time?*
JPT : À huit heures.	*At eight.*
SG : Entendu. À huit heures.	*That's settled. At eight o'clock.*
JPT : Au revoir, Sylvie. À ce soir.	*Goodbye, Sylvie. See you this evening.*
SG : Au revoir. À ce soir.	*Goodbye. See you this evening.*

Dialogue 2   Jacqueline Couboules (JC), Sophie (S)

JC : Allô.	*Hello.*
S : Je peux parler à Jacqueline Couboules, s'il vous plaît ?	*Could I speak to Jacqueline Couboules, please?*
JC : C'est elle-même.	*Speaking.*
S : Jacqueline, c'est moi, Sophie.	*Jacqueline, it's me, Sophie.*
JC : Sophie. Tu es à Paris ?	*Sophie. Are you in Paris?*
S : Oui. Je suis à Paris avec Philippe. Il est ici pour les affaires.	*Yes. I'm in Paris with Philippe. He is here on business.*
JC : C'est merveilleux. Comment ça va ?	*That's brilliant. How are you?*
S : Nous allons bien tous les deux, merci.	*We're both fine, thanks.*
JC : Sophie, qu'est-ce que tu fais demain soir ?	*Sophie, what are you doing tomorrow evening?*

S :	Demain soir ? Attends voir. Rien. Pourquoi ?
JC :	Si on allait au cinéma ? Il y a « Jour de Fête » au Forum.
S :	C'est une bonne idée. Tu passes me prendre à l'hôtel ?
JC :	D'accord.
S :	Un instant. Demain, non, ça ne va pas. Je vais rencontrer des amis de Philippe.
JC :	C'est dommage. Une autre fois, peut-être.
S :	Oui. Une autre fois.

Tomorrow evening? Wait a minute. Nothing. Why?

Shall we go to the cinema? "Jour de Fête" is on at the Forum.

Good idea. Will you pick me up from the hotel?

Of course.

One moment. No, tomorrow isn't good. I'm meeting some friends of Philippe's.

That's a shame. Maybe another time.

Yes. Another time.

Comment ça se dit • How to say it

1. Comment demander si quelqu'un est libre pour accepter une invitation.

How to ask whether or not someone is free to accept an invitation.

Tu es Vous êtes	libre	ce soir ? demain ?	– Oui – Non, je regrette. – Rien. Pourquoi?
Qu'est-ce que	tu fais vous faites	demain soir ? pendant le week-end ?	

2. Comment inviter quelqu'un.

How to invite someone.

Tu veux Vous voulez	aller	au cinéma, au concert,	demain ?
Si on allait		au théâtre,	cet après-midi ?
Ça vous ferait plaisir	d'aller de venir	au spectacle, chez moi,	ce soir ?

Quel film Quelle pièce Quel spectacle Quel concert	tu veux vous voulez	voir ? entendre ?

Les invitations • Invitations

3. Comment accepter un rendez-vous.
How to accpet an invitation.

Pourquoi pas ?	Je veux bien.
D'accord.	C'est une bonne idée.
C'est entendu.	Oui, avec plaisir.

4. Comment refuser un rendez-vous.
How to say that you cannot accept.

Je regrette,	ça ne va pas.
Je suis désolé(e),	c'est impossible.
Excusez-moi,	je ne peux pas.
Merci, mais	ce n'est pas possible.
Malheureusement,	

Exercices • Exercises

Exercice 1

Il y a trois points de départ d'une conversation qui sont indiqués avec un astérisque. Suivez les flèches pour voir combien de conversations vous pouvez construire.

The three starting points of a possible conversation are indicated by asterisks. Follow the arrows and see how many conversations you can have.

Les invitations · Invitations   UNITÉ 26

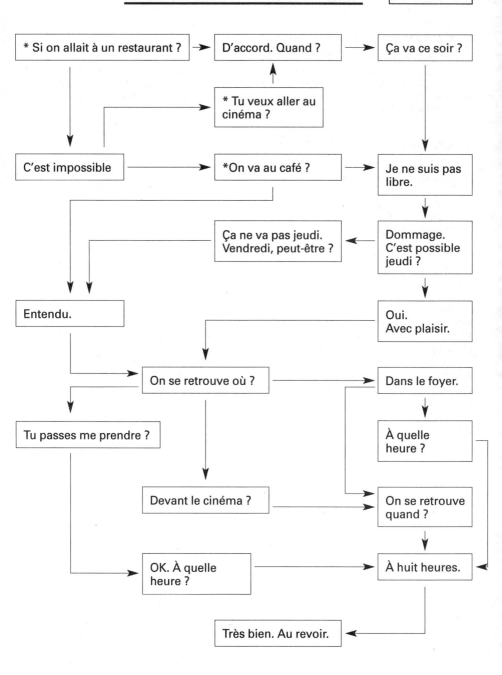

* Si on allait à un restaurant ? → D'accord. Quand ? → Ça va ce soir ?

* Tu veux aller au cinéma ?

C'est impossible → *On va au café ? → Je ne suis pas libre.

Ça ne va pas jeudi. Vendredi, peut-être ? ← Dommage. C'est possible jeudi ?

Entendu.

Oui. Avec plaisir.

On se retrouve où ? → Dans le foyer.

Tu passes me prendre ?

À quelle heure ?

Devant le cinéma ? → On se retrouve quand ?

OK. À quelle heure ? → À huit heures. ←

Très bien. Au revoir. ←

Les invitations • Invitations

Exercice 2

Un de vos collègues vous téléphone pour vous proposer un rendez-vous. Le rôle de votre collègue est sur la cassette. Prenez votre rôle.	*One of your colleagues telephones you to suggest a meeting. What your colleague says is on the cassette. What do you say?*

Collègue : Vous êtes libre demain soir ?
Vous : ...

Collègue : Il y a un concert au Sofitel. On y va ?
Vous : ...

Collègue : On se retrouve à 7 h 30 ?
Vous : ...

Collègue : Dans le foyer.
Vous : ...

Collègue : Au revoir.
Vous : ...

Répétez la conversation. Cette fois votre collègue vous propose un film.	*Repeat the conversation. This time, your colleague suggests going to see a film.*
Répétez la conversation. Cette fois votre collègue propose que vous vous retrouviez à 8 h.	*Repeat the conversation. This time, your colleague suggests meeting at 8 o'clock.*
Répétez la conversation. Cette fois le film est au Kinopanorama.	*Repeat the conversation. This time it is a film is at Kinopanorama.*
Répétez la conversation. Cette fois votre collègue propose que vous vous retrouviez à l'entrée.	*Repeat the conversation. This time your colleague suggests meeting by the entrance.*
Vérifiez vos réponses à la fin du livre.	*Check your answers using the answer section of the book.*

Écoutez bien · Listen carefully!

Now listen to the third part (3ᵉ partie) of the third play (Scénette No. 3) as often as necessary, until you are able to answer the corresponding questions.

Scénette No. 3
3ᵉ partie

What does Grandma sometimes forget?
What can the Grandma not do so well anymore?
What can one not say to Grandma so easily?

Les rencontres • Meeting up

In this unit you will learn
- how to suggest doing something together
- how to arrange a time and a place to meet

Dialogues • Dialogues

Dialogue 1   Jean-Pierre Teindas (JPT), Gilles (G)

JPT : Salut !	*Hi!*
G : Salut, Jean-Pierre ! Ça va ?	*Hi, Jean-Pierre! How are you?*
JPT : Ça va bien.	*Fine.*
G : Tu es libre demain ?	*Are you free tomorrow?*
JPT : Oui, jusqu'à midi.	*Yes, until midday.*
G : Tu as envie de jouer au tennis ?	*Would you like to play tennis?*
JPT : Avec plaisir. À huit heures, comme d'habitude ?	*Very much. At eight o'clock, as usual?*
G : D'accord.	*Yes.*
JPT : On se retrouve au club ?	*Shall we meet at the club?*
G : Bon. À demain.	*Yes. See you tomorrow.*
JPT : À demain.	*See you tomorrow.*

Salut *(Hi)*
This greeting is used between friends and workmates.

Ça va?
With the intonation of a question this expression means: *How are you?* or: *Is everything allright?*
With the intonation of a statement it means: *I'm fine* or: *Everything is all right.*

Dialogue 2   Thérèse Saunier (TS), sa collègue Valérie (V)

V : Thérèse, j'ai envie d'aller au marché aux puces.	*Thérèse, I'd like to go to a flea market.*
TS : Où ça ?	*Where is there one?*
V : C'est à Toulouse. Chaque dimanche il y a un marché aux puces sur la Place Sernin.	*In Toulouse. Every Sunday there is one at the St.-Sernin Square.*
TS : Pourquoi pas ? On se retrouve où ?	*Why not? Where shall we meet?*
V : Écoutez. Vous connaissez la Place Wilson ?	*Listen. Do you know Wilson Square?*
TS : C'est au bout de l'Allée Jean Jaurès, n'est-ce pas ?	*It's at the end of Allée Jean Jaurès, isn't it?*
V : Oui. C'est ça. Alors sur la Place Wilson, il y a le café Victor Hugo. On se retrouve là ?	*Yes. That's right. Well, at Wilson Square is the Café Victor Hugo. Shall we meet there?*

Les rencontres · Meeting up   UNITÉ 27

TS : Bon. D'accord. À quelle heure ?   *Good. Agreed. At what time?*
V : À dix heures. Ça vous va ?   *At ten o'clock. Is that all right?*
TS : Oui. Demain, café Victor Hugo, dix   *Yes. Tomorrow, Café Victor Hugo, ten*
       heures.   *o'clock.*

Dialogue 3   Sylvie Guillon (SG), Jean-Pierre Teindas (JPT)

SG : J'ai envie de faire une petite pro-   *I want to go for a little walk. Are you*
       menade. Tu viens avec moi ?   *coming with me?*
JPT : Pourquoi pas ? On va où ?   *Why not? Where are we going?*
SG : J'ai envie d'aller voir un peu les   *I'd like to browse round some second-*
       bouquinistes. Tu veux bien ?   *hand book stalls. Would you like to?*
JPT : Oh, tu sais. Les vieux livres. Ce   *Well, you know. Old books. They aren't*
       n'est pas gai, ça.   *exactly fun.*
SG : Mais j'aime tellement les bouqui-   *But I really like the secondhand book*
       nistes. Viens donc.   *stalls. Come on!*
JPT : Bon, d'accord. Pour cette fois seu-   *All right. Just this once. Where shall we*
       lement. On se retrouve où ?   *meet?*
SG : Devant Notre-Dame.   *In front of Notre-Dame.*
JPT : Mais où exactement ?   *But where exactly?*
SG : En face du portail juste au centre.   *Opposite the main entrance, right in the*
           middle.
JPT : D'accord. Quand ?   *Agreed. When?*
SG : Dans une heure ? Ça te va ?   *In an hour? Does that suit you?*
JPT : Bon. Dans une heure.   *Good. In an hour.*

Les Bouquinistes
Along the banks of the Seine there are numerous little stalls, where old
books, cards, engravings and similar are on offer.

Comment ça se dit · How to say it

1. Comment proposer à quelqu'un de faire quelque chose.
How to suggest doing something together.

J'ai envie	d'aller	au marché.
	de jouer	au tennis.
	de faire	une promenade.
	de regarder	les bouquinistes.

VOUS   VOTRE PARTENAIRE   VOUS   VOTRE PARTENAIRE
Vous voulez venir ? – Avec plaisir.   D'accord ?   – Pourquoi pas ?
Tu viens avec moi ? – D'accord.   Ça vous va ?   – Bon.

Les rencontres • Meeting up

2. Comment proposer à quelqu'un de se retrouver à une certaine heure.

How to suggest to someone that you meet each other at a certain time.

À huit heures ? À neuf heures et demie ? Dans un quart d'heure ? Dans six minutes.	Ça	te	va ?
		vous	

On se retrouve à quelle heure ? – À midi moins le quart.
À trois heures dix.
À sept heures vingt.

 You will find a full explanation about telling the time on page 119.

3. Comment proposer à quelqu'un de se retrouver à un certain endroit.

How to suggest a meeting place to somebody.

On se retrouve où ?

On se retrouve	au club. devant la cathédrale. au café Victor Hugo.

On se retrouve là.

Devant – Derrière
À côté (du centre commercial)
De ce côté-ci – De ce côté-là
En face (du portail)
Au bout (de la rue)
Sur votre gauche – Sur votre droite

Exercices • Exercises

Exercice 1

Imaginez que quelqu'un vous demande à quelle heure vous allez vous retrouver. Proposez une heure.

Imagine someone asks you what time you would like to meet. Suggest a time.

Exemple : Collègue : On se retrouve à quelle heure ?
  Vous :   À dix heures.

Dites que vous allez vous retrouver aux
heures suivantes.

*Say that you would like to meet at the
following times.*

a) 11h00	c) 12h30	e) 14h45	g) 16h00
b) 17h15	d) 19h30	f) 19h45	h) 20h00

Vérifiez vos réponses en écoutant
la cassette.

*Check your statements with the help of
the cassette.*

Exercice 2

Imaginez que quelqu'un vous demande
où vous allez vous retrouver.
Proposez un endroit.

*Imagine you are asked where you would
like to meet. Suggest a place.*

Exemple : Collègue : On se retrouve où ?
  Vous :   On se retrouve au théâtre ?

Proposez à votre collègue de vous
retrouver aux endroits suivants.

*Suggest to your colleague that you
meet each other at the following places.*

a) à l'entrée du cinéma
b) dans le café de Paris
c) sur le Pont Neuf

d) au Louvre, devant la Pyramide

e) sous la Grande Arche
f) devant la Sainte Chapelle
g) dans le Jardin des Tuileries, à côté
   de l'Orangerie
h) devant le Centre Pompidou

Vérifiez vos réponses en écoutant
la cassette.

*Check your statements with the help of
the cassette.*

Exercice 3

Écoutez la conversation suivante.

*Listen to the following conversation on
the cassette.*

André :   Vous êtes libre, demain soir ?
Solange : Oui. Pourquoi ?
André :   Il y a un nouveau film au Palais.
           Vous voulez y aller ?
Solange : Bonne idée. On se retrouve où ?
André :   Devant l'Hôtel Meurice.
Solange : C'est où, ça ?

Les rencontres • Meeting up

André :   C'est dans la rue de Rivoli.
          Au coin de la rue de Castiglione.
Solange : Bon. On se retrouve quand ?
André :   À 7 h 30.
Solange : D'accord. À demain.

Faites des conversations semblables en utilisant les informations ci-dessous. Écoutez les conversations a) et b) et vérifiez vos réponses à c) à e) à la fin du livre.

How conduct a similar conversation in which you use the following infor-maiton. Listen to conversations a) and b). Check your answers to c) using the answer section of the book.

a) Cinéma Lincoln – Rue Lincoln/Champs-Élysées – 20h00
b) Maison du Danemark – Champs-Élysées/Rue Balzac – 20h30
c) Tours St-Jacques – Rue de Rivoli/Rue St-Martin – 19h30
d) Métro St-Michel – Boulevard St-Michel/Quai St-Michel – 18h00
e) Devant le Théâtre Olympia – Boulevard des Capucines/Rue Caumartin – 20h00

Écoutez bien • Listen carefully!

Listen now to the last part (4e) of the third play (Scénette No. 3) – and also ideally the first three parts (1ère à la 3e partie) once again – as often as necessary, until you can answer the following questions.

Scénette No. 3
4ième partie

*Which problems does Grandma have in winter in particular.
How does Jean-Paul help her?
What does Grandma usually do on Sundays?
Which suggestion does Jean-Paul make?
What compromise is reached?*

In this unit you will learn

- some phrases for buying items of clothing and presents

Dialogues · Dialogues

Dialogue 1   Jacqueline Couboules (JC), vendeuse (V)

V :	Bonjour Madame. Je peux vous aider ?	*Hello. Can I help you?*
JC :	Oui. Je cherche des gants.	*Yes. I'm looking for a pair of gloves.*
V :	Oui Madame. Vous prenez quelle pointure ?	*Yes. Which size?*
JC :	Je prends du 7, je crois.	*I take size 7, I think.*
V :	Voici des gants. Pointure 7.	*Here are some gloves. Size 7.*
JC :	Ah non. Vous ne les avez pas en cuir ?	*Oh no. Do you not have anything in leather?*
V :	Si, Madame. Voici des gants en cuir.	*Yes. Here are some leather gloves.*
JC :	Je peux les essayer ?	*Could I try them on?*
V :	Certainement, Madame.	*Of course.*
JC :	Vous n'avez pas la taille au-dessus ?	*Do you have them in a larger size.*
V :	Si, Madame. Voilà.	*Yes. There you are.*
JC :	Très bien. Vous avez la même taille, mais en bleu ?	*Very good. Do you have this size in blue?*
V :	Je regrette, Madame. Nous n'en avons pas en bleu.	*I'm afraid not. We don't have them in blue.*
JC :	Ah bon. Je les laisse. Au revoir.	*I see. I'll leave it then. Goodbye.*
V :	Au revoir, Madame.	*Goodbye.*

Si, Madame.

After a negative statement from an interloctor one says **si**, by way of contradiction.

E.g.: **Tu ne veux pas de café?** *Si, si!!*

Dialogue 2   Frédéric Saunier (FS), vendeur (V)

FS :	Bonjour.	*Hello.*
V :	Bonjour, Monsieur.	*Hello.*
FS :	Je cherche un cadeau pour ma femme.	*I'm looking for a present for my wife.*
V :	Vous avez déjà une idée, Monsieur ?	*Do you already have a certain idea?*

Les vêtements • Clothes

FS :	Elle a déjà pas mal de bijoux.	*She already has quite a lot of jewelery.*
V :	Du parfum, peut-être ?	*Maybe a perfume?*
FS :	Vous me conseillez quoi ?	*What could you recommend?*
V :	Coucher de Soleil est très populaire, Monsieur.	*"Sunset" is very popular.*
FS :	Je peux essayer ?	*Can I try it?*
V :	Certainement !	*Certainly.*
FS :	Mm. Ça sent bon. C'est combien ?	*MM. That smells good. What does it cost?*
V :	20 €, Monsieur.	*MM. 20 €.*
FS :	Bon. Je le prends.	*Good. I'll take it.*
V :	Oui, Monsieur. Je vous fais un paquet-cadeau ?	*Yes. Shall I wrap up as a present?*
FS :	Oui, s'il vous plaît.	*Yes, please.*

Pas mal de … (lit. not bad from …)
This expression has the meaning of *quite.*

Comment ça se dit • How to say it

1. Comment demander des vêtements.

How to ask about items of clothing.

Vous avez Je cherche	des gants. (?) une chemise. (?) un pantalon. (?) une jupe. (?) un pull-over rouge. (?)

Questions possibles

De quelle couleur ?
Vous faites quelle taille ?
Vous prenez quelle pointure ?
En laine ? En coton ? En soie ?

Possible questions

Which colour?
Which size do you take?
Which size do you need?
In wool? In cotton? In silk?

2. Comment décrire ce que vous voulez acheter.
How to describe what you would like to buy.

En	bleu. jaune. noir. rouge. bleu foncé. vert clair.

Je fais du Je prends du/un	36. 38. 40. 42.

En	nylon. cuir. satin. laine.

3. Comment demander quelque chose de différent.
How to ask for something else.

Il	est trop	petit/grand.
Elle		petite/grande.
Ils	sont trop	petits/grands.
Elles		petites/grandes.

Vous ne l'avez pas	en	blanc ? gris ? satin ?
Vous n'avez pas	la taille au-dessus ? la taille en dessous ? une plus grande taille ?	
Vous n'avez rien	de plus	grand ? petit ?

4. Comment demander conseil.
How to ask for advice.

Je cherche	un cadeau quelque chose	pour	un monsieur. ma femme. mon mari. une jeune fille. un bébé.

Les vêtements • Clothes

Quelques phrases:

Je peux l'essayer ?	*Could I try it on?*
Je n'aime pas ça.	*I don't like it.*
Je le/la/les prends.	*I'll take it.*
C'est combien ?	*What does it cost?*
Ils/elles sont à combien ?	*What do they cost?*

Exercices • Exercises

Exercice 1

Imaginez que vous êtes un homme d'affaires en visite à Paris. Vous avez trouvé une petite boutique dans la rue de Rivoli. La vendeuse vous offre plusieurs choses et vous demandez le prix de chacune. Puisque vous cherchez un cadeau pour votre femme, vous n'achetez que des choses qui conviennent à une femme. Vous n'achetez rien pour vous-même. Voici deux conversations modèles. Vous les trouverez aussi sur la cassette.

Imagine you are in Paris as a businessman. You have found a small boutique the rue de Rivoli. The sales assistant offers you several things and you ask the price of each one. As you are thinking about a present for your wife, you are only buying things which are appropriate for a woman. You do not buy anything for yourself. Here are two example dialogues. They can be heard on the cassette.

Exemple:

Vendeur :	Voici une très belle jupe.
Vous :	C'est combien ?
Vendeur :	30 €.
Vous :	Bon. Je la prends.

Vendeur :	Cette cravate est chic.
Vous :	C'est combien ?
Vendeur :	14 €.
Vous :	Merci. Je la laisse.

Maintenant faites de semblables conversations.

Now conduct similar conversations.

Vendeur :
1. Voici une très belle jupe.   *skirt*
2. Cette cravate est chic.   *tie*
3. Vous aimez ces chaussettes ?   *socks*
4. Je peux vous proposer ce collier ?   *necklace*
5. Et ce chemisier, cette blouse en soie ?   *silk blouse*
6. Cette chemise est élégante.   *over shirt*

Les vêtements • Clothes

7.	Vous aimez cette robe ?	*shirt*
8.	Que pensez-vous de ces boucles d'oreilles ?	*earrings*

Vérifiez vos réponses en écoutant la cassette.

Check your answers with the help of the cassette.

Exercice 2

Lisez cette conversation modèle. Vous la trouverez aussi sur la cassette.

Look at this model dialogue carefully. It is also on the cassette.

Vendeuse : Vous désirez ?
Vous : Je cherche un pull.
Vendeuse : Vous faites quelle taille ?
Vous : Je prends un …
Vendeuse : En laine ?
Vous : Oui, en laine.
Vendeuse : Vous cherchez quelle couleur ?
Vous : Bleu foncé.
Vendeuse : Ceci est très chic.
Vous : Oui, je l'aime beaucoup. C'est combien ?

Voici des vêtements que vous voulez acheter. Écoutez la conversation et prenez votre rôle. Le rôle de la vendeuse est sur la cassette.

Here are some items of clothing, which you would like to buy. Play your role in the gapped conversation. The role of the sales assistant is also on the cassette.

1. Une jupe – taille : 38 – en coton – rouge foncé. N'oubliez pas de demander le prix.
2. Une blouse – taille : 40 – jaune – en soie.
3. Un costume – taille : 44 – en pure laine – gris ou vert.
4. Une cravate – en soie.

Vérifiez vos réponses à la fin du livre.

Check your statements using the answer section at the back of the book.

Exercice 3

Imaginez que vous êtes une cliente dans une boutique. Vous achetez un pantalon. Prenez votre rôle dans la conversation. Vous trouverez le rôle de la vendeuse sur la cassette.

Imagine you are a customer in a boutique. You buy a pair of trousers. Can you take on your role in the conversation? The role of the sales assistant is on the cassette.

Les vêtements · Clothes

Vendeuse	Client
Bonjour, Madame. Vous désirez ?	
	You are looking for a pair of trousers.
Oui, Madame. Vous faites quelle taille ?	
	Size 26.
Vous cherchez quelle couleur, Madame ?	
	Red or brown.
Voici un pantalon rouge très élégant.	
	You don't like them.
Et ce pantalon brun ?	
	You like them – you would like to try them on.
Certainement, Madame. Le vestiaire est là-bas.	
	Too small – a bit bigger.
Je regrette, Madame. C'est le seul que nous ayons en brun.	
	You say thank you and goodbye.
Vérifiez vos réponses à la fin du livre.	*Check your statements using the answer section of the book.*

Écoutez bien · Listen carefully!

In this unit a new play (Scénette No. 4) begins. Listen to the first part (1ère partie) as often as necessary, until you are able to answer the following corresponding questions.

Scénette No. 4

Les Ovnis (Les objets volants non-identifiés)
1ère partie

What is an ovni?
What did the postman see?
What did the café owner see?
What did the postman and the café owner do?
Where are the residents of Rodez now?

Le téléphone • On the Telephone

In this unit you will learn
- how to answer the telephone
- how to ask for somebody
- how to leave a message

Dialogues • Dialogues

Dialogue 1   Sylvie Guillon (SG), une voix (V)

V :	Allô, oui ?	*Hello, yes?*
SG :	Je peux parler à Monsieur Teindas, s'il vous plaît ?	*Could I speak to Mr Teindas, please?*
V :	Je regrette. Il n'y a pas de Teindas ici. Vous avez le mauvais numéro.	*I'm afraid there is no Teindas here. You've dialed the wrong number.*
SG :	C'est bien le 58.91.46.10 ?	*Isn't it 58914610?*
V :	Ah, non. Ici, c'est le 58.91.36.10.	*No. This is 58913610.*
SG :	Excusez-moi de vous avoir dérangé.	*Sorry for disturbing you.*
V :	Il n'y a pas de quoi.	*That doesn't matter.*
SG :	Au revoir.	*Goodbye.*
V :	Au revoir.	*Goodbye.*

Parler à …
Je peux parler à Monsieur Teindas = *could I speak to Mr Teindas, please?*

Notice: It is always **parler à** …

Dialogue 2   Alain Couboules (AC), une voix (V)

V :	Allô, oui ?	*Hello?*
AC :	Monsieur Lebrun est là, s'il vous plaît ?	*Is Mr Lebrun there?*
V :	Un instant … Non, il n'est pas là.	*One moment, please. No, he isn't there.*
AC :	Je peux laisser un message ?	*Would you give him a message?*
V :	Certainement.	*Of course.*
AC :	Voulez-vous bien lui dire que Monsieur Couboules a téléphoné ?	*Would you tell him that Mr Couboules phoned?*
V :	Monsieur Couboules. Je vais lui donner le message.	*Mr Couboules. I'll give him the message.*
AC :	Merci beaucoup.	*Thank you very much.*
V :	De rien, Monsieur.	*No problem.*
AC :	Au revoir.	*Goodbye.*
V :	Au revoir, Monsieur.	*Goodbye.*

Le téléphone · On the Telephone

Je peux laisser un message?

This question is often asked in French when you ask someone to give somebody else a message.

Dialogue 3 Jean-Pierre Teindas (JPT), une voix (V)

JPT : Bonsoir. Dominique est là, s'il vous plaît ?	*Good evening. Is Dominique there?*
V : C'est de la part de qui ?	*Who's speaking.*
JPT : C'est Jean-Pierre Teindas à l'appareil.	*It is Jean-Pierre Teindas speaking.*
V : Un instant… Non, elle n'est pas là.	*One moment … No. She isn't there.*
JPT : Ah. ça c'est vraiment embêtant.	*That is really annoying.*
V : Je suis désolée !	*I'm sorry!*
JPT : Je peux laisser un message ?	*Would you give her a message?*
V : Attendez.	*Wait a minute.*
JPT: Voulez-vous lui demander de me donner un coup de téléphone le plus tôt possible ?	*Would you ask her to phone me as soon as possible?*
V : C'est qui à l'appareil ?	*Who is calling?*
JPT : C'est Jean-Pierre Teindas.	*Jean-Pierre Teindas.*
V: Comment ça s'écrit ?	*How is that spelt?*
JPT : T-E-I-N-D-A-S.	*T-E-I-N-D-A-S.*
V : Et vous avez quel numéro ?	*And what is your telephone number?*
JPT : C'est le 29.31.41.62.	*My number is 29314162.*
V : D'accord. Je vais lui demander de vous téléphoner.	*All right. I'll ask her to call you.*
JPT : Merci beaucoup. Au revoir.	*Thank you. Goodbye.*
V : Au revoir.	*Goodbye.*

Comment ça se dit · How to say it

1. Comment dire qui vous êtes.
How to say who you are.

Allô. C'est	Marie Dupont Jean-Pierre Teindas	à l'appareil.

2. Comment demander à parler à quelqu'un.

How to say that you would like to speak to somebody.

Je peux parler à	Madame Saunier, Monsieur Durand, Mademoiselle Manet,	s'il vous plaît ?

Jérôme Annie Monsieur Poulon	est là (s'il vous plaît) ?

Un instant.
Je regrette, Pierre n'est pas là.
Vous avez le mauvais numéro.
C'est de la part de qui ?
C'est qui à l'appareil ?

Excusez-moi de vous avoir dérangé.
Il n'y a pas de quoi.

3. Comment laisser un message.

How to leave a message.

Je peux laisser un message	pour elle ? pour Madame Marquand ? pour Jean ? pour lui ?

Voulez-vous lui	dire que	Jean est à l'appareil ? Monsieur Couboules a téléphoné ? je vais téléphoner plus tard ?
	demander de	téléphoner à Monsieur Couboules ? me téléphoner le plus tôt possible ? me donner un coup de téléphone ?

Exercices · Exercises

Les coups de téléphone.

Dans les exercices suivants, on vous demande de téléphoner aux numéros donnés. Essayez de le faire, peut-être avec un(e) partenaire. Vérifiez vos réponses en écoutant la cassette.

In the following exercises we will ask you to conduct different telephone conversations using the given numbers, if possible with a partner. Check your answers with the help of the cassette.

Le téléphone • On the Telephone

Exercice 1

Quincaillerie Catena
Mirepoix (61) 23.12.49

Call the Quincaillerie Catena. Say who you are. You would like to speak to Mr Prat.

Exercice 2

Minoterie du Moulin Neuf
R-Clercy et Cie.
09500 Mirepoix.
Tél. (61) 68.12.24

Call the Minterie du Moulin Neuf. Make sure you have dialed the correct number. Say how you are. You would like to speak to Mr Clercy. You find out that Mr Clercy is not there. You would like to leave a message.

Exercice 3

Relais St-Christophe
R. Kapfer
Route de Parniers
09500 Mirepoix
Tél. (68) 11.42.34

Call Mr Kapfer. Say who you are. Check that you have dialed the correct number. You have dialed the wrong number. Apologise for the disturbance.

Exercice 4

Bar-Hôtel-Restaurant
Le Commerce
A. Puntis, propriétaire
Tel. (61) 68.10.29

You call the proprietor of the Hotels le Commerce. Check that you have dialed the correct number. Say who you are. You would like to speak to Mr. Puntis. He is not there. You will call later.

Le téléphone · On the Telephone UNITÉ 29

Exercice 5

Coiffure Dames
Membre du Comité Artistique de la Coiffure
Elisabeth Cellier
Tél. (68)17.79.24

Call Mrs Cellier. Check that you have dialed the correct number. Say who you are. She is not there. Ask that she calls you later. Leave your telephone number.

On vous téléphone

Dans les exercices suivants vous recevez des coups de téléphone. Prenez votre propre rôle, mais si vous voulez, prenez les deux rôles. Vérifiez vos réponses en écoutant la cassette.

In the following exercises you will receive some telephone calls. Concentrate on your role. If you want to, you could take on both roles. Check your answers with the help of the cassette.

Exercice 6

The telelphone rings. You answer and ask who is speaking. The caller would like to speak to Gilles Deforge. Gilles Deforge is not there. You ask the caller to phone back later.

Exercice 7

The telelphone rings. You answer and ask who is speaking. The caller would like to speak to Mrs Lafargue. Mrs Lafargue is not there. You ask whether or not the caller would like to leave a message.

Exercice 8

The telephone rings. You answer. The caller would like to speak to Mr Petitpied, who you do not know. You suspect that he has dialed the wrong number. The caller repeats the number, which he called. You say your telephone number and tell the caller that he has misdialed.

Le téléphone · On the Telephone

Écoutez bien · Listen carefully!

Now listen to the second and third parts (2me et 3e parties) of the fouth play (Scénette No. 4) as long as necessary, until you are able to answer the following questions.

Scénette No. 4
2me et 3e parties

Does Madame Merac believe in flying saucers?
What can be found on other planets, according to Madame Martis?
Why, in her view, so extra-terrestrials come to earth in flying saucers?
Why does Monsieur Blanc think it possible that creatures from other planets come to earth.

Les objets perdus · Lost Property UNITÉ 30

In this unit you will learn
- how to report a loss or a theft
- to say, where and when you have lost something
- how to describe an object

Dialogues · Dialogues

Dialogue 1   Sylvie Guillon (SG), employé du service des objets trouvés
(Fundbüro) (E)

SG : Excusez-moi.	*Excuse me.*
E : Oui, Mademoiselle ?	*Yes?*
SG : J'ai perdu ma valise.	*I've lost my suitcase.*
E : Vous pouvez la décrire ?	*Can you describe it?*
SG : Elle est en cuir.	*It is made out of leather.*
E : Oui. Et de quelle couleur ?	*Yes. Which colour?*
SG : Elle est bleue.	*It's blue.*
E : Elle est neuve ?	*Is it new?*
SG : Oui. Elle est toute neuve. Et elle a une fermeture éclair.	*Yes, it is brand new and it has a zip.*
E : C'est celle-ci ?	*Is that it?*
SG : Oh oui. Merci beaucoup.	*Oh yes. thank you very much.*

> The word **valise** is feminine.
> Therefore it says in the third line: **ma** valise.
> In line 4: Vous pouvez **la** décrire?
> In line 5: **Elle** est en cuir.
> In line 8: **Elle** est neu**ve**.
> And in line 9: **Elle** est toute neu**ve**.

Dialogue 2   Frédéric Saunier (FS), garçon (G)

FS : Excusez-moi. J'ai oublié mon appareil photo.	*Excuse me. I've forgotten my camera.*
G : C'est quelle sorte d'appareil ?	*What sort of camera is it?*
FS : C'est un vieux Leica.	*It is an old Leica.*
G : Il a un étui ?	*Does it have a case?*
FS : Oui, il a un étui en cuir.	*Yes, it is in a leather case.*
G : De quelle couleur ?	*Which colour?*
FS : L'étui est brun.	*The case is brown.*
G : C'est celui-ci ?	*Is that it?*
FS : Oh oui. Merci beaucoup.	*Oh yes. Thank you.*

Les objets perdus • Lost Property

Dialogue 3   Thérèse Saunier (TS), un agent de police (AP)

TS : Bonjour, Monsieur l'agent. Vous pouvez m'aider, s'il vous plaît ?
Hello, Constable. Could you help me?

AP : Qu'est-ce qu'il y a, Madame ?
What's wrong?

TS : C'est mon chien, Monsieur l'agent. J'ai perdu mon petit chien.
It's my dog, Constable. I've lost my little dog.

AP : Votre chien, Madame ? Il s'appelle comment ?
Your dog? What is he called?

TS : Lénine. Il s'appelle Lénine.
Lenin. He is called Lenin.

AP : Beaucoup de chiens s'appellent Lénine, Madame. C'est quelle sorte de chien ?
Lots of dogs are called Lenin. What sort of dog is it?

TS : C'est un caniche. Un caniche noir.
It's a poodle. A black poodle.

AP : Nous avons plusieurs caniches, Madame.
We have several poodles, madam.

TS : Mais Lénine vient quand je l'appelle.
But Lenin comes when I call him.

AP : C'est normal que les chiens viennent quand on les appelle.
It is normal for dogs to come when they are called.

TS : Mais, c'est seulement mon petit Lénine qui vient quand moi, je l'appelle.
But only my little Lenin comes when I call.

AP : D'accord, Madame. Comme vous voulez.
All right. As you wish.

TS : Lénine ! Lénine ! Le voilà. Merci, Monsieur l'agent.
Lenin! Lenin! There he is. Thank you, Constable.

Comment ça se dit • How to say it

To talk about a loss or a theft you need the following verbs, which are listed in their infinitive and participle forms:

Infinitive	Past participle
perdre *(to lose)*	perdu
oublier *(to forget)*	oublié
mettre *(to put, lay)*	mis
voir *(to see)*	vu
laisser *(to leave – behind)*	laissé
avoir *(to have)*	eu

Examples: **J'ai perdu ma caméra/mon appareil photo.**
J'ai oublié ma valise.
J'ai mis ma caméra sous la table.
J'ai laissé ma montre aux toilettes.

Les objets perdus • Lost Property UNITÉ 30

> The sentences listed above describe what you have done.
> The following sentences describe what has happened to you.
>
> **On m'a pris ma serviette.** *(Someone has taken my briefcase.)*
> **On m'a volé ma voiture.** *(Someone has stolen my car.)*

1. Comment signaler une perte ou un vol.

How to report a loss or a theft.

J'ai	perdu oublié	mon	sac. passeport.
		ma	valise. montre.
On m'a	volé	mes	gants. lunettes. chèques de voyage.

2. Comment dire où vous avez perdu quelque chose.

How to explain the place of loss.

Vous	l' les	avez	mis, mise (s) vu, vue (s) perdu, perdue (s)	où ?

Je	l'	ai	perdu, perdue (s) laissé, laissée (s) oublié, oubliée (s)	à l'hôtel. dans le métro. devant la gare. dans le car.
Nous	les	avons		

3. Comment dire quand vous avez perdu quelque chose.

How to cite the time of loss.

Vous avez	perdu laissé	votre	sac caméra	quand ?
		vos	gants	

SUBJECT	OBJECT	MAIN VERB		PARTICIPLE	
Je Nous	l' les	ai avons		laissé, laissée (s) perdu, perdue (s)	tout à l'heure. il y a vingt minutes.
On On	nous me	les l'	a	pris, prise (s) volé, volée (s)	hier. vers huit heures.
SUBJECT	INDIRECT OBJECT	OBJECT	MAIN VERB	PARTICIPLE	

165

Les objets perdus • **Lost Property**

Participle Forms

If the past participle is used with **être**, as e.g. verbs of movement, then its form is determined by the subject of the sentence. If the past participle is used with **avoir**, then the form taken by the participle will be determined by the object that comes before it in the sentence. If the object is masculine, the participle does not change; in plural an **-s** is added to the end, provided that there is not one there already (e.g. pris). If the object is feminine, the participle ends in **-e**, or in **-es** in the plural.

This rule only really applies if the object in the sentence is in front of the main verb.

Dear Reader,

This rule is one of the most difficult of all rules in the French language. It is really only important in the written language, as in most cases you hardly hear a difference in spoken language.

Compare:	J'ai perdu **mes gants**.
	Je **les** ai perdu**s**.
	J'ai perdu **ma montre**.
	Je **l'**ai perdu**e**.

Un pullover	– je **l'**ai perdu	
Une montre	– je **l'**ai perdu**e**	All participles have
Des gants	– je **les** ai perdu**s**	exactly the same
Mes lunettes	– je **les** ai perdu**es**	pronunciation.

4. Comment décrire ce que vous avez perdu.

How to describe a lost object.

Vous pouvez décrire	le manteau ?
	le parapluie ?
	le porte-monnaie ?

			Material
Il Elle	est		plastique. laine. or.
		en	argent.
Ils Elles	sont		coton. nylon cuir.

Les objets perdus • Lost Property

		Age	Colour	Size	Shape
Il Elle	est	tout(e)(s) neuf(ve)(s). assez vieux, vieille(s).	beige(s). vert(e)(s) brun clair(e)(s). jaune foncé(e)(s).	grand(e)(s) assez petit(e)(s).	rond(e)(s). carré(e)(s). rectangulaire(s). long(ue)(s). court(e)(s).
Ils Elles	sont				

			But:	m.s.	f.s.	m.pl.	f.pl.
Il Elle	est	... (m. s.). ... e (f. s.).		tout neuf	toute neuve	touts neufs	toutes neuves
Ils Elles	sont	... s (m. pl.). ... es (f. pl.).		vieux	vieille	vieux	vieilles
				foncé	foncée	foncés	foncées
				carré	carrée	carrés	carrées
				long	longue	longs	longues

5. Comment dire ce qu'il y avait dedans.

How to say what was in the bag or suitcase.

Qu'est-ce qu'il y avait	dans la valise ? dedans ? dans votre sac ?

Il y avait	tout mon argent. mes papiers. nos vêtements.

Exercices • Exercises

Exercice 1

Dites que vous avez perdu les choses suivantes et vérifiez vos réponses en écoutant la cassette.

Say that you have lost the following objects and check your answers with the help of the cassette.

1. votre passeport
2. une valise
3. un trousseau de clefs
4. votre porte-monnaie
5. vos chèques de voyage
6. votre parapluie
7. un briquet
8. votre montre

Exercice 2

Lisez et écoutez les conversations suivantes.

Read and listen to the following conversations.

Vous :	Excusez-moi. J'ai perdu ma valise.
Employé :	Vous pouvez la décrire ?
Vous :	Elle est toute neuve.
Employé :	Vous l'avez perdue où ?
Vous :	Dans le métro.
Employé :	C'est celle-ci ?
Vous :	Oui. Merci beaucoup.

Vous :	Excusez-moi. J'ai perdu mes lunettes.
Employé :	Vous pouvez les décrire ?
Vous :	Elles sont neuves.
Employé :	Vous les avez perdues où ?
Vous :	Dans un bus numero 12.
Employe :	C'est celles-ci ?
Vous :	Oui. Merci beaucoup.

Prenez votre rôle dans des conversations semblables; vous avez perdu les objets suivants:

Take on your role in similar conversations. You have lost the following objects.

Veste – neuve – bus numéro 13
Porte-monnaie – tout neuf – toilettes
Sac – cuir – café
Porte-monnaie – permis de conduire – bus numéro 47
Sac-à-dos – lunettes, argent, clefs de voiture – sur la plage
Lunettes – toutes neuves – chez le coiffeur
Gants – cuir – restaurant

Vérifiez vos réponses à la fin du livre.

Check your statements using the answer section of the book.

Exercice 3

<table>
<tr><td colspan="5" align="center">R.A.T.P.
Bureau des Objets Trouvés</td></tr>
<tr><td></td><td>Lundi</td><td>Mardi</td><td>Mercredi</td><td>Jeudi</td></tr>
<tr><td>Objet trouvé</td><td>Sac</td><td>Porte-monnaie</td><td>Veste</td><td>Montre</td></tr>
<tr><td>Couleur</td><td>Brun</td><td>Blanc</td><td>Noire</td><td>Or</td></tr>
<tr><td>Âge</td><td>Vieux</td><td>Neuf</td><td>Neuve</td><td>Neuve</td></tr>
<tr><td>Contenu</td><td>Passeport
Lunettes</td><td>200 €
Carte d'Identité
Photos</td><td></td><td></td></tr>
<tr><td>Lieu</td><td>Musée d'Orsay</td><td>Louvre</td><td>Métro Monge</td><td>Toilettes
Hôtel
St-Jacques</td></tr>
</table>

Les objets perdus • Lost Property

Écoutez la cassette: *Listen to the following conversation:*

> Employé : Je peux vous aider ?
> Vous :   Oui. J'ai perdu ma valise.
> Employé : Elle est de quelle couleur ?
> Vous :   Elle est brune.
> Employé : Elle est neuve ?
> Vous :   Oui. Elle est toute neuve.
> Employé : Qu'est-ce qu'il y avait dedans ?
> Vous :   Il y avait mes vêtements.
> Employé : Vous l'avez perdue où ?
> Vous :   À l'entrée du Panthéon.
> Employé : C'est celle-ci ?
> Vous :   Oui. Merci beaucoup.

Regardez les informations ci-dessus.   *Look at the table of information and*
Choisissez l'objet que vous avez perdu   *choose an object, which you have lost.*
et répétez la conversation. Vérifiez vos   *Concduct a similar conversation. Check*
réponses à la fin du livre.   *your statements using the answer sec-*
                                             tion of the book.

Écoutez bien • Listen carefully!

*Now listen to the last part (4ᵉ partie) – and if you would like to, also listen once
again to the first three parts (les trois premières parties) of the fourth play
(Scénette No. 4) – and answer the following questions.*

Scénette No. 4
4ᵉ partie

How does Madame Marti explain an encounter of the second kind?
How does she explain an encounter of the third kind?
Which decision does the mayor make?

Les services · Services

In this unit you will learn
- how to get something be repaired or cleaned

Dialogue · Dialog

Dialogue   Sylvie Guillon (SG), employé (E)

SG : Bonjour.	*Hello*
E : Bonjour, Mademoiselle.	*Hello.*
SG : Je voudrais faire réparer cette radio, s'il vous plaît.	*I would like get this radio repaired.*
E : Je peux la regarder ? Qu'est-ce qu'il y a qui ne marche pas ?	*Can I have a look at it? What doesn't work?*
SG : Elle fait un drôle de bruit.	*It's making a strange noise.*
E : Vous l'avez achetée où ?	*Where did you buy it?*
SG : Ici.	*Here.*
E : Vous avez la garantie ?	*Do you have a certificate of guarantee?*
SG : Non. Je ne l'ai plus.	*No. I don't have it anymore.*
E : Je vais faire de mon mieux. Mais je ne peux rien promettre.	*I will do my best but I cannot promise anything.*
SG : Bon. Ça sera prêt quand ? J'en aurai besoin la semaine prochaine.	*All right. When will it be ready? I need it next week.*
E : Je regrette. Pas avant la fin du mois.	*I'm sorry but not before the end of the month.*
SG : Ça fera combien ?	*How much will it cost?*
E : Je ne sais pas exactement. Entre 20 € et 30 €.	*I don't know exactly. Between 20 € and 30 €.*
SG : Oh, mon Dieu ! Ça va.	*Oh dear! All right.*

Comment ça se dit · How to say it

1. Comment faire réparer ou nettoyer des objets.
How to get things repaired or cleaned.

Je voudrais faire	réparer	cette radio. ce rasoir. cette montre. ces chaussures.
	nettoyer	ce pantalon. cette jupe. ce manteau.

Les services • Services UNITÉ 31

2. Comment décrire les fautes.
How to describe a fault/defect.

Qu'est-ce qu'	il elle	a ?
Qu'est-ce qu'il y a ?		

C'est cassé – broken
Il/Elle ne marche plus – does not work any more
Il/Elle fait un drôle de bruit – makes a strange noise
Il/Elle a une tâche – has a mark

3. Comment demander quand quelque chose sera prêt.
How to ask when something will be ready.

Ça sera prêt quand ?
Ils/Elles seront prêt(e)s quand ?
J'en aurai besoin demain. C'est possible ?

Réponses possibles

Ça sera prêt Ils/Elles seront prêt(e)s	vers cinq heures. dans deux jours.
Je regrette, pas avant	mercredi. la semaine prochaine.

Exercices • Exercises

Exercice 1

Ces phrases semblent être dans le mauvais ordre. Vous pouvez les remettre dans le bon ordre ? La traduction allemande des verbes vous aidera peut-être.

These sentences follow one after other quite randomly. Can you put them into the correct order? The English translation of the verbs will perhaps be of help.

Je voudrais faire développer mon piano. *(to develop)*
Je voudrais faire réparer mon costume. *(to repair)*
Je voudrais faire couper mes chaussures. *(to cut)*
Je voudrais faire repasser cette pellicule. *(to iron)*
Je voudrais faire réparer mes cheveux. *(to repair/to put right)*
Je voudrais faire nettoyer à sec cette radio. *(to clean)*
Je voudrais faire accorder cette chemise. *(to match)*

Vérifiez vos réponses en regardant a la fin du livre.

Check your answers using the answer section of the book.

Les services • Services

Exercice 2

En route vers votre maison, vous avez eu un accident en tombant de votre bicyclette. Tous vos vêtements sont sales et toutes vos affaires sont cassées. Vous allez dans différents magasins. Qu'est-ce que vous dites ?

On the way home you had an accident and fell off your bicycle. Your clothes are dirty and all your fragile things are broken. You go to different shops. What do you say?

1. Mon manteau est très sale. Je voudrais le faire ...
2. Ma montre est cassée. Je voudrais la ...
3. Mon chapeau a des tâches. Je voudrais le ...
4. Mon appareil photo est cassé. Je voudrais le ...
5. Ma chemise est sale. Je voudrais la ...

Vérifiez vos réponses en écoutant la cassette.

Check your answers by listening to the cassette.

Exercice 3

Imaginez que vous êtes une personne très paresseuse. Votre ami Serge par contre est très actif. Lui, il fait tout. Vous, vous préférez qu'on fasse tout pour vous.

Imagine you are really lazy. Your friend Serge, on the other hand, is very active and does everything himself. You prefer to let things be done for you.

    Exemple : Je vais laver la voiture.
    Vous :   Je vais faire laver la voiture.

Écoutez la cassette pour entendre ce que Serge va faire. Ensuite vous faites faire les mêmes choses de votre manière paresseuse.

Listen to everything on the cassette that Serge is going to do. Then you can get the same things done for you at your own convenience.

    Serge : Je vais laver la voiture.
             Je vais nettoyer les fenêtres.
             Je vais laver ma chemise.
             Je vais ranger ma chambre.
             Je vais faire le lit.
             Je vais repasser mon pantalon.
             Je vais cirer mes chaussures.
             Je vais brosser mon costume.
             Je vais réparer la radio.
             Je vais réparer le fusible.

Intentions

Je vais laver la voiture. (lit. *I'm going to wash the car.*)

What you plan to do in the immediate future can be expressed using the verb **aller** (je vais, il va, elle va, nous allons, vous allez, ils vont, elles vont) and the **infinitive**. Notice that the word order in French is the same as English. The infinitive is in front of the object of the sentence.

E.g.   **Je vais laver la voiture.**

       I am going to wash the car.

Vérifiez vos réponses en écoutant la cassette.

Check your answers with the help of the cassette.

Écoutez bien · Listen carefully!

A new play (Scénette No. 5) begins in this unit. Listen to the first part (1ère partie) and answer the following questions.

Scénette No. 5

Déménager ou non ?
1ère partie

What is Monsieur Escolier's profession?
Wo does he live with his family?
What has his wife been learning for so long?
How old is Oliver?
What particular talent does the daughter, Anne-France, have?

Les accidents • Accidents

In this unit you will learn
- how to report accidents
- to describe how accidents happened

Dialogues • Dialogues

Dialogue 1   Agent de police (AP), un monsieur (M), une dame (D)

AP : Cette voiture est à vous, Monsieur ?	*Does that car belong to you?*
M : Oui.	*Yes.*
AP : Cette voiture est à vous, Madame ?	*Does this car belong to you?*
D : Oui.	*Yes.*
AP : Vous pouvez me dire ce qui s'est passé ?	*Could you tell me what happened?*
M : Je voulais tourner à gauche. J'ai freiné ...	*I wanted to turn left. I braked ...*
AP : C'est tout ?	*Is that all?*
M : Cette voiture est rentrée dans ma voiture. Elle allait trop vite.	*This car drove into the back of me. It was going too fast.*
D : Ce n'est pas vrai. J'allais très doucement.	*That's not true. I was driving very slowly.*
AP : Je peux voir votre permis de conduire ?	*Could I see your driving license?*
M : Voilà.	*Here it is.*
AP : Et votre police d'assurance ?	*And your insurance certificate?*
M : Voilà.	*Here it is.*
AP : Alors. Faisons le constat.	*Then we will take a statement.*

Dialogue 2   Conducteur (C), cycliste (CI)

C : Vous êtes blessée ?	*Are you injured?*
CI : Non. Ce n'est pas grave.	*No. It's not serious.*
C : Dieu merci !	*Thank God!*
CI : Ce n'était pas de ma faute, vous savez.	*It wasn't my fault, you know.*
C : Comment ?	*What?*
CI : J'avais la priorité.	*I had right of way.*
C : Mais vous êtes sortie devant moi.	*But you rode out in front of me.*
CI : Je voulais tourner à gauche.	*I wanted to turn left.*
C : Vous n'avez pas signalé.	*You didn't give a signal.*
CI : Si, j'ai signalé. Vous n'avez pas regardé.	*Yes, I did. You just didn't look.*
C : Ce n'est pas vrai.	*That's not true.*
CI : Vous rouliez trop vite.	*You were driving too fast.*
C : Non. Je ne suis pas d'accord.	*No. I don't agree.*

Cl : Alors, il faut appeler la police.	*Then we should call the police.*
C : Non. Ce n'est pas nécessaire. Il n'y a pas de blessés. Faisons le constat.	*No. That's not necessary. There are no casualties. Let's sort out the formalities now.*
Cl : Bon. Je peux avoir votre nom et votre adresse ?	*All right. Can I have your name and address?*

Comment ça se dit • How to say it

Comment décrire un accident

1. When you report an accident, you must report what happened in the past. First of all, you will describe what you or others were doing before the accident suddenly happened.

   Examples:
   J'allais très doucement – *I was driving very slowly.*
   Vous rouliez trop vite. – *You were driving fast.*
   J'étais dans la rue Thorez – *I was in Throez Street.*

   You can describe with the following verbs what you were doing or where you were:

ALLER *(to go)*	ÊTRE *(to be)*	REGULAR VERBS	
		Stem	Endings
J'allais	J'étais		ais
Tu allais	Tu étais		ais
Il/Elle allait	Il/Elle était	roul-	ait
Nous allions	Nous étions	sort-	ions
Vous alliez	Vous étiez		iez
Ils/Elles allaient	Ils/Elles étaient		aient

2. You will also probably have to report what you wanted to do when the accident suddenly happened.

   Examples:
   Je voulais tourner à gauche – *I wanted to turn left.*
   Je voulais traverser la rue – *I wanted to cross the road.*

   You can describe in French what you wanted to do as follows:

Je voulais	
Tu voulais	
Il/Elle voulait	aller tout droit.
Nous voulions	
Vous vouliez	traverser la rue.
Ils/Elles voulaient	tourner à gauche.

Les accidents • Accidents

---

3. An accident happens suddenly. Therefore you want to describe an unexpected incident in the past.

Une voiture s'est arrêté(e).
Un(e) cycliste est sorti(e).
Un piéton a tourné.

You learnt in Unit 23 the past tense form, which you need, in order to describe this sudden accident.

---

1. Questions qu'un agent de police pourrait vous poser.
Questions which the police could ask.

Racontez-moi ce qui s'est passé.
Vous étiez où ?
Où cela s'est-il passé ?
Vous étiez dans un véhicule ?
Vous étiez à pied ?
Vous alliez où ?
Vous rouliez à quelle vitesse ?

2. Comment dire où vous étiez.
How to say where you were.

J'étais Nous étions	dans la rue Maurice Thorez. au croisement de. sur le passage clouté. au passage a niveau. sur le trottoir. devant les feux.

3. Comment décrire votre moyen de transport.
How to describe your mode of transport.

J'étais Nous étions	en voiture. à bicyclette. sur ma mobylette. à pied.

Les accidents • Accidents UNITÉ 32

4. Comment décrire ce que vous vouliez faire.
How to say what you wanted to do.

Je voulais	aller	tout droit.
	tourner	à gauche. à droite.
	traverser	le passage à niveau. la rue.
	doubler	une voiture. un vélo.

5. Comment décrire ce que vous faisiez.
How to say what you were doing.

J'allais	chez moi. au cinéma. à mon bureau. en ville.

6. Comment décrire votre vitesse.
Saying how fast you were driving.

Je roulais à 30 kilomètres à l'heure (à peu près).
Je n'allais pas vite.
J'allais très doucement.

7. Comment décrire ce qui s'est passé.
Describing what happened.

Une voiture Un camion Une camionnette Un(e) piéton(ne) Une moto	s'est	arrêté(e) net.
	est	arrivé(e) très vite. sorti(e) devant moi.
	a	tourné (sans signaler). démarré brusquement. traversé la rue (sans regarder). vacillé.

| La moto
La voiture
La mobylette
Le car
Le vélo
L'autobus | est | rentré(e) dans ma voiture. |
| | m'a | renversé(e).
heurté(e).
accroché(e). |

Un(e) cycliste est tombé(e) devant moi.

Les accidents • Accidents

Exercices • Exercises

Exercice 1

Imaginez que vous devez répondre aux questions d'un agent de police qui veut savoir où vous étiez quand un accident est arrivé. Utilisez les informations ci-dessous.

Imagine you have to answer the questions of a policeman, who wants to know where you were when the accident happened. Use the following information for this exercise.

Exemple : a) avenue Victor Hugo – trottoir.
J'étais sur le trottoir dans l'avenue Victor Hugo.

b) rue du Ranelagh/avenue Mozart.
J'étais au croisement de la rue du Ranelagh et de l'avenue Mozart.

a) rue Danielle Casanova/rue de la Paix.
b) rue du Quatre Septembre – trottoir.
c) rue des Grands Augustins/rue St-André des Arts.
d) boulevard St-Michel – trottoir.
e) rue Bayle/rue Vigarosy.
f) avenue Gabriel Favre – trottoir.

Vérifiez vos réponses en écoutant la cassette.

Check your answers with the help of the cassette.

Exercice 2

Maintenant imaginez que vous étiez dans votre voiture.

Now imagine you were travelling by car.

Exemple : a) avenue Jean Jaurès.
Je roulais dans l'avenue Jean Jaurès.

b) rue de Révol/rue Adoué.
J'étais dans la rue de Révol et je voulais tourner dans la rue Adoué.

a) boulevard Gambetta.
b) rue des Chapeliers/rue du Rocher.
c) boulevard Carnot/place Lafayette.
d) rue du Général de Gaulle.
e) rue Caumartin.
f) avenue de l'Opéra/rue St-Roch.

Vérifiez vos réponses en écoutant la cassette.

Check your answers with the help of the cassette.

Exercice 3

Ci-dessous vous trouverez les questions d'un agent de police. Ces questions sont enregistrées sur la cassette avec des silences pour vos réponses. Décidez ce que vous voulez dire, puis prenez votre rôle.

Read below the questions of a policeman, which you will also hear on the cassette with gaps for your answers. Decide what you would like to say and take on your role in the conversation.

Agent de police

Vous

Vous pouvez me dire ce qui
   s'est passé ? Vous étiez où ?

You were on the pavement.

Vous alliez où ?

You were going to the train station.

Racontez-moi ce qui s'est passé.

A cyclist suddenly stopped.

Et alors ?

The car knocked down the cyclist.

C'était quelle sorte de voiture ?

A red Porsche.

Vous avez vu le numéro ?

No, unfortunately.

Vérifiez vos réponses en regardant à la fin du livre.

Check your statements using the answer section of the book.

Écoutez bien · Listen carefully!

Now listen to the second part (2me partie) of the fith play (Scénette No. 5) and answer the following questions.

Now listen to the second part (2me partie) of the fith play (Scénette No. 5) and answer the following questions.

Scénette No. 5
2me partie

How many patients are in the hospital at Lyon?
Is Anne-France for or against her family going to Lyon?
Which advantages does this job have for Dr. Escolier?
Which reservations does Madame Escolier have on account of Oliver?
Living in a large house with a garden has its advantages. Which ones?
Which financial advantages does the job in Lyon have?

Les vacances · Holidays

In this unit you will learn
- how to talk about events in the past

Dialogues · Dialogues

Dialogue 1   Thérèse Saunier (TS), Véronique (V)

TS :	Bonjour Véronique.
V :	Bonjour Thérèse. Alors, les vacances, ça s'est bien passé ?
TS :	Pas tellement.
V :	Oh, dommage.
TS :	Il faisait un temps affreux.
V :	Quel dommage !
TS :	La chambre était abominable.
V :	Quel dommage !
TS :	C'était vraiment trop cher.
V :	Mon Dieu !
TS :	L'ascenseur était en panne. Et l'escalier était très raide.
V :	Je suis désolée pour vous.
TS :	Les autres clients n'étaient pas aimables.
V :	Quelle horreur ! Ma pauvre amie. Entrez donc. On va prendre une tasse de café ensemble.
TS :	Merci.

Hello, Véronique.
Hello, Thérèse. Have you had a good holiday?
Not especially.
Oh, what a shame.
The weather was terrible.
What a shame!
The room was awful.
What a shame!
It was really expensive.
Oh, God!
The lift was out of order. And the stairs were very steep.
Oh, I am sorry.
The other guests were not friendly.
Terrible! You poor thing. Do come in. Let's have a cup of coffee together.
Thank you.

Dialogue 2   Jean-Pierre Teindas (JPT), Sylvie Guillon (SG)

JPT :	Sylvie. Alors, les vacances, ça s'est bien passé ?
SG :	Oui. C'était super.
JPT :	Comment tu as trouvé l'hôtel ?
SG :	Nous avions une chambre excellente, avec un balcon.
JPT :	Il y avait une jolie vue ?
SG :	Oui. Nous avions une vue sur la mer.
JPT :	Sylvie, tu es tellement bronzée. Il faisait beau temps ?
SG :	Il faisait un temps splendide.
JPT :	Il faisait chaud ?
SG :	Oh oui. À midi, il faisait trop chaud.

Sylvie. Have you had a good holiday?
Yes, it was brilliant.
How was the hotel?
We had an excellent room with a balcony.
Did you have a pretty view?
Yes. We had a view of the sea.
Sylvie, you are so brown. Was the weather good?
We had very good weather.
Was it hot?
Oh yes. It was very hot at midday.

Les vacances • Holidays

JPT : Comment tu as trouvé les repas ?	*How was the food?*
SG : Les repas étaient excellents et pas chers du tout.	*The food was excellent and not at all expensive.*

Comment ça se dit • How to say it

Comment décrire les vacances de l'année dernière.
How you can describe your last holiday.

1. Comment dire où vous êtes allé(e)(s).
Saying where you went.

Je suis Il/Elle est On est Nous sommes Ils/Elles sont	allé(e)(s) resté(e)(s)	au bord de la mer. en France. en Haute-Savoie. à la montagne. à l'étranger. à la maison.

2. Comment décrire le logement.
How to describe your accommodation.

Comment vous avez trouvé	le gîte ? l'hôtel ? le camping ?

L'hôtel Le camping La chambre	était	excellent(e)(s). assez bien. triste(s).
Les chambres Les emplacements	étaient	abominable(s). trop cher(s)/chère(s).

J'avais Nous avions	un hôtel une chambre un emplacement un gîte	confortable. excellent(e). spacieux, -euse. assez bien.

Les vacances • Holidays

3. Comment décrire le temps.

How to describe the weather.

Il faisait (assez)	chaud. beau. froid.

La mer était	chaude. froide. mauvaise.

Il faisait un temps	magnifique. splendide. extraordinaire. affreux. terrible.

Il a plu	tous les jours. chaque jour. tout le temps. de temps en temps.

4. Comment décrire les repas.

How to describe the food.

Le restaurant La cuisine	était	excellent(e). mauvais(e). assez bien.
Les repas	étaient	copieux. insuffisants. (pas) chers.

Exercices • Exercises

Exercice 1

Imaginez que vous êtes allé(e)s dans les pays suivants.

Imagine you have been to the following countries.

Exemple : Italie.
Je suis allé(e) en Italie.
Nous sommes allé(e)s en Italie.

Les vacances · Holidays UNITÉ 33

a) Italie
b) France
c) Angleterre
d) Écosse

e) Grèce
f) Espagne
g) Paris (à Paris)
h) la Côte d'Azur (sur)

Vérifiez vos réponses en écoutant
la cassette.

*Check your answers with the help of the
cassette.*

Exercice 2

Maintenant répondez à la question
suivante:

Now answer the following questions:

Vous avez eu beau temps ?

Exemple : The weather was beautiful.
Il faisait beau.

a) The weather was lovely.
b) It rained every day.
c) The sea was cold.

d) The weather was hot.
e) It rained from time to time.
f) The weather was beautiful.

Vérifiez vos réponses en écoutant
la cassette.

*Check your answers with the help of the
cassette.*

Exercice 3

Écoutez la conversation suivante. Pouvez-vous poser les questions de Sylvie ?

*Listen to the following gapped conver-
sation. Which questions does Sylvie
ask?*

Sylvie : ...
Vous : Les vacances, ça s'est bien passé ?
Sylvie : ...
Vous : L'hôtel n'était pas mal du tout.
Sylvie : ...
Vous : Nous avions une vue sur les montagnes.
Sylvie : ...
Vous : Ah oui. Il faisait un temps splendide.
Sylvie : ...
Vous : Il faisait très chaud.
Sylvie : ...
Vous : La cuisine était excellente.

Vérifiez vos réponses en écoutant
la cassette.

*Check your answers with the help of the
cassette.*

183

Exercice 4

Écoutez les questions suivantes au sujet de vos vacances de l'année dernière. Imaginez que vous êtes les personnes ci-dessous, et répondez pour elles.

Listen to the following questions on the cassette, which concern your holiday from the previous year. Put yourself in the position of the people described below and answer on their behalf.

1. Vous êtes allé(e)s où en vacances ?
2. Comment avez-vous trouvé l'hôtel ?
3. Il faisait beau temps ?
4. Comment avez-vous trouvé les repas ?

a) M. Tandry
   Italy – nice room – hot – excellent

b) Mme Joly
   Scotland – comfortable hotel – occasional rain – cold

c) Mlle Joigny
   France – self-catering appartment – warm – cheap

d) M. Leconte
   Haute-Savoie – very good – beautiful – excellent

Vérifiez vos réponses en écoutant la cassette.

Check your answers with the help of the cassette.

Écoutez bien · Listen carefully!

Listen now to the last part (3ᵉ partie) of the fith play (Scénette No. 5) – and ideally, also the first two parts (1ᵉʳᵉ et 2ᵐᵉ parties) once again –, and answer the following questions.

Scenette No. 5
3ᵉ partie

What does Madame Escolier have to give up if the family moves to Lyon?
Why is Oliver in favour of it?
Which disadvantages does Anne-France foresee?
Oliver believes that the move could have an advantageous effect on the family's free time activities. Why?

Transcripts

Scénette No. 1

Un aller simple (Unités 15–19)

1ère partie
Gare de Lyon

Personnages
Annick, Employé de la SNCF

Annick :	Un aller simple pour Voiron, s'il vous plaît.
Employé :	Pour où ?
Annick :	Pour Voiron.
Employé :	Comment ça s'écrit ?
Annick :	V-o-i-r-o-n.
Employé :	Ah oui. V-o-i-r-o-n. Vous passez par Lyon ?
Annick :	Oui, c'est ça. Je crois que je passe par Lyon.
Employé :	Bon. Un aller simple pour Voiron. Ça fait 15 €. Vous voulez faire une réservation ?
Annick :	Oui, je veux bien.
Employé :	Alors, ça fait 4 € de plus. Vous voulez une place fumeurs ou non-fumeurs ?
Annick :	Ah, non-fumeurs, s'il vous plaît. Le train part à quelle heure ?
Employé :	Le prochain train pour Lyon part dans vingt minutes, à onze heures trente. Il vous faut changer à Lyon et à Grenoble.
Annick :	Merci, Monsieur.
Employé :	De rien, Mademoiselle. Au revoir.

2me partie
Au guichet

Personnages
Jacques, Employé de la SNCF

Jacques :	Un aller-retour, deuxième classe pour Voiron, s'il vous plaît.
Employé :	Oui, Monsieur. Ça vous fait 30 €.
Jacques :	D'accord. Je peux réserver une place ?
Employé :	Oui, Monsieur. Fumeurs ou non-fumeurs ?
Jacques :	Non-fumeurs, s'il vous plaît. Je change à Lyon et Grenoble. C'est bien ça ?
Employé :	Oui, Monsieur.
Jacques :	Le train part à onze heures et demie, n'est-ce pas ?
Employé :	Oui, Monsieur. À onze heures et demie.
Jacques :	Merci bien.
Employé :	Je vous en prie. Au revoir, Monsieur.

3ᵉ partie
À la Papeterie

Personnages
Annick, Vendeuse

Annick :	Vous avez Le Monde ?
Vendeuse :	Non, Mademoiselle. Le Monde n'est pas encore arrivé.
Annick :	Alors, je prends Le Figaro.
Vendeuse :	D'accord. Voilà, Mademoiselle.
Annick :	Merci bien.
Vendeuse :	Au revoir, Mademoiselle.
Annick :	Au revoir. Messieurs, dames.

4ᵉ partie
A la Papeterie

Personnages
Jacques, Vendeur

Jacques :	Pardon. Excusez-moi. Je ne trouve pas Paris Match.
Vendeur :	Il est là-bas. À côté de Marie-Claire.
Jacques :	Ah oui, je vois. Merci. Alors, je vous dois combien ?
Vendeur :	Vous prenez cette carte postale également ?
Jacques :	Ah oui. Excusez-moi. Je prends la carte postale aussi. Ça me fait combien ?
Vendeur :	Ça vous fait 4 €, Monsieur.
Jacques :	Merci. Au revoir.
Vendeur :	Au revoir, Monsieur.

5ᵉ partie
Dans le train

Personnages
Jacques, Annick

Annick :	Excusez-moi, Monsieur.
Jacques :	Oui ?
Annick :	Excusez-moi, je crois que vous avez ma place.
Jacques :	Mais, non, je n'ai pas votre place.
Annick :	Mais si, Monsieur. Regardez, j'ai la place 23.
Jacques :	Ah ben, oui. C'est vrai. Où est mon billet ? Ah oui, c'est vrai. Moi, j'ai la vingt-quatre. Excusez-moi, Mademoiselle.
Annick :	De rien, Monsieur.
Jacques :	Je peux laisser ma valise là ?
Annick :	Mais certainement. Monsieur.
Jacques :	Enfin, on part.
Annick :	Oui. C'est juste à l'heure. Regardez, onze heures et demie.
Jacques :	Oui. Vous avez raison. Il est onze heures et demie. Il nous faut deux heures jusqu'à Lyon, je crois.
Annick :	Oui, vous avez raison.
Jacques :	Vous allez à Lyon ?
Annick :	Oui, à Lyon.

Jacques :	J'aime beaucoup Lyon.
Annick :	Ah, moi, je ne sais pas. C'est la première fois que j'y vais.
Jacques :	Vous allez visiter Lyon ?
Annick :	Non, je change de train.
Jacques :	Ah, ça c'est intéressant. Moi aussi je change de train. Je vais à Grenoble.
Annick :	Tenez, quelle coïncidence ! Moi aussi, je vais à Grenoble.
Jacques :	Je m'appelle Berthoud. Jacques Berthoud.
Annick :	Annick Escolier.
Jacques :	Très heureux de faire votre connaissance. Je suis pharmacien.
Annick :	Ah, vous êtes pharmacien à Grenoble ?
Jacques :	Non. Je ne reste pas à Grenoble. Je change de train encore une fois et je vais à Voiron.
Annick :	Qu'est-ce que vous allez faire là ?
Jacques :	Il y a une pharmacie à Voiron qui a besoin d'un pharmacien pour un remplacement pendant un mois. Je vais travailler là. Et vous, qu'est-ce que vous faites, si j'ose vous demander ?
Annick :	Je suis étudiante.
Jacques :	Vous êtes dans quelle faculté ?
Annick :	En médecine. Je suis étudiante en médecine.
Jacques :	Et vous habitez Paris ?
Annick :	Oui. J'ai une chambre dans le Quartier Latin.
Jacques :	Ah, bon. C'est un quartier très intéressant.
Annick :	Oui, c'est vrai. J'ai une chambre dans la rue Mouffetard.
Jacques :	Ah, je connais la rue Mouffetard. Il y a un nouveau théâtre dans cette rue ?
Annick :	Oui, c'est vrai. C'est le théâtre Mouffetard. Je le connais bien. Il est très moderne, très confortable.
Jacques :	Oui, en effet. J'adore le théâtre. Vous aussi ?
Annick :	Oh, oui, j'aime beaucoup.
Jacques :	Qu'est-ce que vous êtes allée voir récemment ?
Annick :	La semaine dernière, j'ai vu L'Avare, de Molière.
Jacques :	Ah, je ne l'ai pas vu. C'était bien ?
Annick :	Oh, oui. C'était vraiment bien.

6e partie
Dans le train

Personnages
Jacques, Annick, un garçon

Jacques :	Je commence à avoir faim. Vous aussi ?
Annick :	Oui, je crois que j'ai besoin de manger quelque chose.
Jacques :	Alors, si nous allions au buffet ? Nous trouverons certainement quelque chose à manger.
Annick :	Bonne idée.
Annick :	Moi, je prends un sandwich au jambon. Et vous ?
Jacques :	Moi, je prends une assiette de crudités.
Garçon :	Vous prenez un dessert ?
Jacques :	Non, je n'ai pas grand faim.
Annick :	Moi, je prends un yaourt.
Garçon :	Un sandwich et un yaourt, Mademoiselle. Ça vous fait 4 €.
Jacques :	Et pour moi, l'assiette de crudités.
Garçon :	Ça vous fait 3 €. Merci.

Personnages
Jacques, Annick

Jacques :	Alors, vous allez à Grenoble ?
Annick :	Pas tout à fait. Non. Je vais à Voiron.
Jacques :	À Voiron ? Mais oui ! Mais ce n'est pas possible !
Annick :	Mais si !
Jacques :	Mais ça, c'est marrant. Vous allez au même endroit que moi. Quelle coïncidence ! Vous êtes en vacances ?
Annick :	Non, j'ai un petit travail là-bas.
Jacques :	Ah, bon. Qu'est-ce que vous faites ?
Annick :	C'est un travail de vacances, je vais être hôtesse dans les caves de la Chartreuse.
Jacques :	Ah ! Ça c'est intéressant. Et qu'est-ce que vous allez faire ?
Annick :	Je suis hôtesse pour les touristes qui viennent visiter les caves.
Jacques :	C'est là qu'on fait la Chartreuse Verte et la Chartreuse Jaune ?
Annick :	Oui, c'est ça. Et puis on fabrique un élixir végétal de la Grande Chartreuse, c'est un digestif très fort.
Jacques :	Je crois que la recette est un secret. C'est vrai ?
Annick :	Oui, c'est vrai. Il n'y a que trois moines qui en connaissent le secret.
Jacques :	Et c'est un bon travail ?
Annick :	Oh, oui. C'est pas mal.
Jacques :	Et vous travaillez combien d'heures par semaine ?
Annick :	Je travaille 28 heures par semaine.
Jacques :	Est-ce que vous êtes la seule hôtesse ?
Annick :	Non. Il y a quinze guides et hôtesses. Chaque guide et chaque hôtesse parle au moins deux langues.
Jacques :	Et quelles langues parlez-vous ?
Annick :	Moi, je parle français évidemment, et puis je parle anglais aussi. Et chaque fois que je fais une visite guidée dans une langue étrangère, je suis payée 10% de plus.
Jacques :	Et ça dure combien de temps une visite guidée ?
Annick :	Une visite dure à peu près 45 minutes, alors trois quarts d'heure. Et les visites sont en français, en anglais, en allemand, en espagnol et en italien.
Jacques :	Vous commencez tôt, le matin ?
Annick :	Oui, la première visite est à neuf heures du matin et la dernière commence à dix-huit heures trente. Alors c'est une longue journée, et après la dernière visite il faut nettoyer le bar. Alors notre journée finit normalement vers sept heures et demie du soir.
Jacques :	Et vous avez combien de touristes par jour ?
Annick :	Oh, c'est un jour chargé, on peut avoir de 1200, jusqu'à 1500 touristes.
Jacques :	Une visite guidée coûte combien ?
Annick :	Oh … les visites sont gratuites, on ne paye rien du tout. C'est parce que les moines veulent que les touristes achètent une bouteille de liqueur après la visite.

8ᵉ partie
Dans le train

Personnages
Annick, Jacques

Jacques :	Écoutez Annick, est-ce qu'on peut se revoir ?
Annick :	Ah, je ne sais pas.
Jacques :	Moi, je ne connais personne à Voiron.
Annick :	Moi, non plus.
Jacques :	Eh bien, si on se retrouvait un soir, on pourrait prendre une tasse de café quelque part. Et puis peut-être, s'il y a un bon film, on pourrait aller au cinéma. Qu'est-ce que vous en dites ?
Annick :	Eh bien, je ne sais pas.
Jacques :	Je vais vous donner mon adresse. Pharmacie Brienne ; téléphone 76-22-03–12.
Annick :	Et moi, je suis logée chez Madame Barnier, 52 avenue Gambetta.
Jacques :	Et quel est votre numéro de téléphone ?
Annick :	C'est le 76-05-04-02.
Jacques :	Bon, merci. Alors, je vais vous donner un coup de téléphone demain ou après-demain.
Annick :	Entendu.

Scénette No. 2

Un coup de téléphone (Unités 20–23)

1ère partie

Personnages
René Mathieu, Thérèse Mathieu, Serge Mathieu

Thérèse :	Allô ! Oui.
Serge :	C'est bien le vingt-deux, quatorze, soixante dix, cinquante cinq ?
Thérèse :	Oui.
Serge :	C'est Madame Mathieu ?
Thérèse :	Oui. C'est elle-même.
Serge :	Thérèse, c'est Serge ; Serge Mathieu. Ton cousin.
Thérèse :	Ah ben, dis donc, Serge. Où es-tu ?
Serge :	Je suis ici, à Paris.
Thérèse :	Mais, qu'est-ce que tu fais ?
Serge :	Eh bien, je suis ici pour affaires.
Thérèse :	Depuis combien de temps ?
Serge :	Depuis une quinzaine de jours déjà. Je rentre demain.
Thérèse :	Quoi, tu rentres au Québec ?
Serge :	Oui.
Thérèse :	Et ta femme est avec toi ?
Serge :	Non. Elle n'est pas venue avec moi. Tu sais les enfants sont toujours assez petits.
Thérèse :	Ah oui. Tu en as combien ?
Serge :	Nous en avons deux. Pierre …
Thérèse :	Ah oui, bien sûr, Pierre ! Il a quel âge ?
Serge :	Il a deux ans maintenant.
Thérèse :	Et ta fille, elle s'appelle comment ?
Serge :	Jeannine.
Thérèse :	Ah oui, Jeannine. Elle a quel âge ?
Serge :	Elle a sept ans et demie. René est là ?
Thérèse :	Non, pas en ce moment. Il est parti faire des courses.
Serge :	Ah, c'est dommage.
Thérèse :	Écoute Serge, qu'est-ce que tu fais ce soir ? Est-ce que tu peux venir nous dire bonjour ?
Serge :	En principe, oui, je suis libre.
Thérèse :	Alors, viens chez nous, pour dîner.
Serge :	Tu es très gentille, mais je ne sais pas, je ne veux pas vous déranger.
Thérèse :	Mais non, mais non. Il faut que tu viennes. Ça fait combien de temps depuis qu'on s'est vu la dernière fois ?
Serge :	Oh … ça doit faire trois ans au moins. Oui … peut-être quatre. Bon, j'accepte. Mais comment trouver mon chemin pour venir chez vous ?
Thérèse :	Alors, tu prends le RER jusqu'à Nanterre. À Nanterre, tu sors. Tu sors de la gare, et en quittant la gare, tu vois en face de toi un arrêt d'autobus.
Serge :	Bon, pas de problèmes.
Thérèse :	Bon. Alors tu prends le quatorze et tu demandes l'arrêt Avenue Faidherbe.
Serge :	Bon, et ensuite ?
Thérèse :	Alors, en descendant de l'autobus, tu vois en face de toi, la rue des Alouettes et nous sommes au numéro trois.
Serge :	D'accord. Trois, rue des Alouettes. Il me faut combien de temps pour aller chez vous ?

Thérèse :	De Nanterre à chez nous, il te faut peut-être un quart d'heure.
Serge :	Et il y a beaucoup d'autobus ?
Thérèse :	Ah oui, il y a un autobus toutes les vingt minutes.
Serge :	Bon, d'accord. Alors, à ce soir ? Je viens à quelle heure ?
Thérèse :	Oh, viens vers huit heures. Nous boirons un petit apéritif.
Serge :	Excellent, tu es très gentille. Alors, à ce soir.
Thérèse :	Oui, à ce soir.

2me partie
Chez les Mathieu

Serge :	Bonsoir, Thérèse.
Thérèse :	Bonsoir, Serge.
Serge :	Bonsoir, René.
René :	Bonsoir, Serge.
Thérèse :	C'est magnifique que tu sois venu chez nous.
Serge :	Oui. J'ai eu vraiment de la chance d'être libre ce soir. Les affaires, tu sais, ça prend du temps.
René :	Alors, mon cousin, ça va bien au Canada ? Qu'est-ce que tu fais exactement ?
Serge :	Je suis Chef de Gestion dans une entreprise.
René :	Quelle sorte d'entreprise ?
Serge :	Je travaille dans une usine qui produit du plastique.
Thérèse :	Tu es dans l'industrie chimique alors ?
Serge :	Oui. C'est ça. Voyons, pour vous simplifier la chose, nous fabriquons des petites boules de plastique et puis nous les revendons !
René :	Tiens, par exemple ! C'est une bonne situation ?
Serge :	Oh oui, tu sais, c'est une entreprise multi-nationale, je voyage pas mal, surtout à travers les États-Unis.
Thérèse :	Ah, ça c'est bien. Tu parles l'anglais ?
Serge :	Oh oui, je parle l'anglais ou plutôt l'américain.
Thérèse :	C'est difficile, l'anglais ?
Serge :	Oui. C'est une langue très difficile.
René :	Et ta femme va bien ?
Serge :	Oui. Elle va très bien. Regarde, j'ai une photo sur moi. C'est elle au centre, elle porte une robe d'été car il faisait un temps superbe, ce jour-là. À droite, c'est Jeannine et à gauche, c'est Pierre avec notre caniche Mitzou. Pierre est en petite tenue, il essaye d'arroser le chien !
René :	Oh, c'est une jolie petite famille que tu as là.
Serge :	Et vous, qu'est-ce que vous faites ?
Thérèse :	Alors, René est à la retraite depuis un an. Il a un petit travail comme gardien dans un grand bâtiment à cinq cents mètres d'ici. Il est gardien de nuit.
Serge :	Alors, tu passes toutes tes nuits dans ce bâtiment ?
René :	Ah non. Je fais une semaine sur trois. C'est pas très dur, tu sais. J'ai une petite pièce où je suis bien tranquille, avec une petite cuisine ; et ça paie pas mal.
Serge :	Et toi, Thérèse, qu'est-ce que tu fais ?
Thérèse :	Je suis toujours secrétaire et réceptionniste.
Serge :	Tu es employée où ?
Thérèse :	Je travaille à FIAPAD.
Serge :	FIAPAD ? Qu'est-ce que c'est ?
Thérèse :	C'est le Foyer International d'Accueil Paris la Défense.
Serge :	Et tu aimes ça ?
Thérèse :	Ah oui, j'aime beaucoup mon travail. C'est très intéressant. Il y a beaucoup d'étrangers ; des Anglais, des Allemands, des Américains ...

| Serge : | Des Canadiens ? |
| Thérèse : | Eh oui. Et des Canadiens aussi. |

3ᵉ partie

Serge :	Vous avez un fils, je crois ?
René :	Oui, c'est Jean.
Serge :	Ah oui, Jean. Qu'est-ce qu'il fait ? Il est toujours au lycée ?
René :	Ah non ! Il a passé son baccalauréat, il y a cinq ans.
Serge :	Quoi ? Cinq ans déjà ?
René :	Ben, oui.
Serge :	Et qu'est-ce qu'il fait maintenant ?
René :	Eh bien, il a été reçu à l'École des Arts Intérieurs.
Serge :	Qu'est-ce que c'est que ça ?
René :	C'est une des grandes écoles, on prend seulement vingt-cinq étudiants par an et ils étudient l'art décoratif, la restauration des intérieurs et des meubles, le « design » et la pose des papiers peints.
Serge :	Il en a pour encore combien de temps ?
René :	Oh, il a terminé et il a déjà trouvé un emploi dans une grande firme ici à Nanterre. Actuellement, il est responsable pour la décoration d'un nouveau restaurant, et après ça, il va faire tout le décor pour un salon de coiffure.
Serge :	Ah, mais c'est bien ça. Vous devez être bien content de lui.
Thérèse :	Oh, tu sais, le pauvre Jean nous donne bien des soucis. Puisque tu es notre cousin, on va t'expliquer ce qui se passe. Pendant qu'il faisait ses études il était toujours très courageux. Il ne sortait pas le soir ; le week-end, il travaillait. Et puis quand il a fini ses études, il a rencontré une fille. C'est une fille plus âgée que lui, elle doit avoir trente ans au moins. Et maintenant, il dit qu'il veut l'épouser.
Serge :	Mais c'est normal de rencontrer une fille et de vouloir l'épouser.
Thérèse :	Oui, mais cette fille n'est pas bien pour lui.
Serge :	Comment, pas bien pour lui ?
Thérèse :	Elle refuse absolument de venir chez nous et ne nous a jamais dit bonjour.
Serge :	Mais c'est drôle ça. Pourquoi ?
René :	Jean nous a dit qu'elle est très timide, mais nous ne le croyons pas, c'est une fille qui est connue ici. Elle a connu déjà beaucoup de jeunes gens. Et ça c'est pas tout, hier soir même, Jean nous a dit que cette fille est enceinte. Il veut l'épouser dans deux, trois semaines. Tu peux t'imaginer que nous sommes bien tristes et nous ne savons pas quoi faire. Jean est terriblement têtu.
Serge :	Oh, je suis désolé pour vous. Ça doit être un tel souci. L'idée qu'elle ne veut pas vous rencontrer et que Jean va l'épouser et aura bientôt charge de famille. Ma pauvre Thérèse tu dois être bien attristée, surtout que c'est votre fils unique.
Thérèse :	Ah oui, je suis dans tous mes états. Enfin, nous te tiendrons au courant.

4ᵉ partie

Serge :	Et bien, je dois rentrer maintenant, il se fait tard. Merci pour cette charmante soirée.
René :	Nous sommes ravis de ta visite. Embrasse Claire et les enfants pour nous.
Thérèse :	Oui. Et dis-lui bien de venir avec toi la prochaine fois et de nous rendre visite.
Serge :	Oh, c'est bien gentil à vous. Mais il vous faudra nous rendre visite au Canada !
René :	Et qui sait ? Pourquoi pas ?

Serge :	Alors, c'est entendu. À la prochaine, au Canada ! En attendant, merci encore mille fois de votre gentillesse et au revoir.
René :	Au revoir, Serge.
Thérèse :	Au revoir, Serge. Et bon voyage.

Scénette No. 3

Chez soi (Unités 24–27)

Personnages
Monsieur Jacques, Madame Yvonne, Jacotte et Jean-Paul

Le vieux Grand-père d'Arville est mort l'an dernier. La Grand-mère d'Arville a maintenant soixante-dix-huit ans. Il lui est difficile d'habiter seule et par conséquent la famille d'Arville débat si elle devrait venir habiter chez eux. Les d'Arville habitent un petit appartement à Nanterre. Ils ont une cuisine, une salle de bains, une salle de séjour et trois chambres. En ce moment les parents occupent une des chambres. Jacotte, qui a dix-sept ans, occupe la deuxième et la troisième est pour Jean-Paul. La famille s'est toujours bien entendu avec le vieux couple, mais cette nouvelle situation cause quelques problèmes.

1ère partie

M. Jacques :   Alors, écoutez tout le monde, Grand-mère est toute seule maintenant, à mon avis, on ne peut pas la laisser dans son petit appartement. Je crois qu'elle devrait venir ici vivre avec nous. Et puis, si par hasard elle tombait malade, on pourrait la soigner.

Mme Yvonne :   Écoute Chéri, je comprends ce que tu veux dire, mais tu sais, ce n'est pas si simple. Ce qui m'inquiète un peu c'est que Grand-mère aime beaucoup son indépendance. Elle fait ses courses tous les jours. Elle aime bien sortir, rencontrer ses amis dans les magasins, je ne crois pas que ton idée lui plaise beaucoup.

Jacotte :   Et moi, je crois qu'elle ne serait pas heureuse si elle venait chez nous. N'oubliez pas qu'il y a une maison peur les personnes âgées tout près d'ici. Pour moi, le mieux serait que Grand-mère s'installe dans cette maison. Je crois que la maison est très bien et le personnel est très gentil là, très sympa, et ça serait facile d'aller voir Grand-mère très souvent, c'est à cinq ou dix minutes d'ici. On pourrait lui rendre visite tous les jours et puis le week-end, elle pourrait venir chez nous.

Jean-Paul :   Écoute Jacotte, tu n'es pas sérieuse. On ne peut pas demander à Grand-mère de quitter son appartement et d'aller s'installer dans une maison pour les personnes âgées. Elle est vieille, c'est vrai, et elle est peut-être un peu faible aussi, elle ne peut plus s'occuper d'elle-même maintenant et c'est difficile pour elle de monter et descendre cet escalier. Alors, moi, je crois que ce que ce serait très bien si elle venait habiter chez nous, dans notre appartement.

2me partie

M. Jacques :   C'est ça, Jean-Paul. Je suis certain que Grand-mère ne voudrait pas vivre dans un foyer pour personnes âgées. Elle est beaucoup trop indépendante. Elle aime sa liberté. Et puis ce qui est très important, Grand-mère a son avis à donner aussi. Elle nous a dit beaucoup de fois qu'elle n'aimerait pas vivre dans une maison où il n'y a que des personnes âgées. Alors je suis certain qu'elle n'acceptera pas. Mais si elle vient ici elle sera en famille, elle nous verra tous les jours et comme ça nous aurons toujours le contact.

Mme Yvonne :   Mais Jacques, tu oublies quelque chose. Il y a la question des chambres des enfants. Il y a notre chambre à nous. Et puis Jacotte a une chambre et Jean-Paul a une chambre. Comme tu le sais, nous n'avons que trois chambres. Alors si Grand-mère venait habiter chez nous, ça nous poserait beaucoup de problèmes. Par exemple, il faudrait que l'un des enfants, soit Jacotte, soit

	Jean-Paul, lui laisse sa chambre. Et puis il y a la question des meubles. Elle a beaucoup de meubles chez elle, et nous n'avons vraiment pas la moindre place dans la chambre de Jacotte ou dans celle de Jean-Paul, même pas pour une chaise de plus. Et Grand-mère, elle a un grand lit, une coiffeuse, deux tables de nuit, un canapé et deux fauteuils, une table de salle à manger et quatre chaises sans parler de son frigidaire et sa cuisinière.
Jacotte :	Voilà, c'est tout à fait exact. Et puis, franchement, je ne veux pas quitter ma chambre. Et il y a autre chose. Vous savez bien que Grand-mère n'aime pas la musique pop. Elle dit toujours que la radio est trop forte, et si elle venait chez nous, il y aurait toujours des problèmes à cause de la musique. Et elle ne serait pas contente si j'écoutais mes disques. Ce n'est vraiment pas une bonne idée.
Jean-Paul :	Tu n'es pas sérieuse, Jacotte. Tu ne penses qu'à ta musique ! À vrai dire, moi aussi, j'en ai marre de ta musique et à mon avis, c'est vrai que ta radio est toujours trop forte. Non, je pense à une autre chose. Grand-mère ne prend plus la peine de se faire à manger comme il faut. Je suis certain qu'elle ne mange pas bien ; elle ne se nourrit pas comme il faut, à mon avis. Ça c'est un problème très grave. Si elle venait chez nous, elle mangerait avec nous, et comme cela elle mangerait bien. Et à mon avis, ça ne coûterait pas beaucoup plus de nourrir cinq personnes que d'en nourrir quatre.

3e partie

M. Jacques :	Je pense comme toi, Jean-Paul. Et puis il y a une autre chose. La mémoire de Grand-mère n'est plus très bonne et parfois elle oublie de payer ses factures, c'était toujours Grand-père qui faisait tout cela et maintenant Grand-mère trouve difficile d'ouvrir les enveloppes, de lire toute l'information qu'elles contiennent, et parfois, comme j'ai dit, elle oublie de payer ses factures. Il y a deux ou trois mois, on a coupé son téléphone parce qu'elle avait oublié de payer sa facture de téléphone. Vous voyez c'est difficile pour une vieille dame de vivre toute seule. Ce n'est pas seulement une question de se faire à manger, il y a beaucoup d'autres choses aussi.
Mme Yvonne :	Vous savez j'aime bien Grand-mère, elle fait partie de notre famille et je comprends bien qu'elle ait des difficultés et des problèmes. C'est vrai, elle est beaucoup plus faible maintenant et elle ne peut plus nettoyer son appartement. Elle n'a pas assez de force et ce n'est pas sain si l'appartement est sale, mais quand même c'est très difficile de prendre une décision pareille.
Jacotte :	Et moi aussi, j'aime bien Grand-mère. Je trouve que le plus difficile c'est de ne pas donner à Grand-mère l'impression que nous pensons qu'elle n'est plus capable de s'occuper d'elle-même comme il faut. Elle est très sensible, nous le savons tous. Et je ne veux pas l'insulter.

4e partie

Jean-Paul :	Grand-mère a surtout des problèmes en hiver. Quand il fait mauvais temps, quand il pleut, quand il neige, elle a beaucoup de problèmes pour sortir, évidemment. Vous savez tous que je fais ses courses le week-end et ça l'aide beaucoup. J'achète son pain et ses provisions toutes les semaines, mais quand même, je crois que ça serait plus facile si elle venait ici vivre avec nous.
Jacotte :	Il faut penser à sa vie sociale aussi. Elle va tous les dimanches à l'église, elle a beaucoup d'amis qui habitent le quartier et qu'elle voit chaque dimanche. Je suis certaine qu'elle ne voudrait pas perdre contact avec ses amies de l'église.

Jean-Paul :	Alors, là vraiment, tu plaisantes. Si elle est ici avec nous, elle peut toujours aller à l'église, le dimanche. Je sais que tu ne veux pas quitter ta chambre Jacotte, mais moi, j'aime beaucoup Grand-mère, elle a toujours été très gentille avec moi. Alors, je quitté ma chambre et je suis prêt à dormir sur le petit lit qu'on monte dans la salle à manger parfois quand nous avons un visiteur.
Mme Yvonne :	Bon, d'accord, vous avez peut-être raison. Nous ne pouvons pas laisser Grand-mère aller dans une maison pour personnes âgées. Il me semble Jacotte qu'il te faudra apprendre à baisser ta radio et à faire moins de bruit dans l'appartement. Ça fera plaisir aux voisins ! C'est gentil de ta part de vouloir offrir ta chambre à Grand-mère, Jean-Paul. Si elle est d'accord pour venir habiter chez nous, il nous faudra acheter un canapé-lit pour toi que nous mettrons dans la salle de séjour. Je ne sais pas où tu pourras mettre tes livres, par contre.
Jacotte :	Bon, d'accord, d'accord, vous avez raison. Grand-mère vient chez nous et Jean-Paul peut mettre ses livres dans ma chambre … mais pas sa collection de maquettes d'avions !
M. Jacques :	Et bien, voilà, c'est parfait. On achète un canapé-lit ; Jacotte baisse sa radio et Grand-mère prend la chambre de Jean-Paul. Il ne nous reste plus qu'à demander l'avis de Grand-mère. Tiens, justement la voici qui arrive pour déjeuner ; je viens d'entendre la porte de l'ascenseur.

Scénette No. 4

Les ovnis (Les objets volants non-identifiés) (Unités 28–30)

Personnages
M. Latour, Mme Merac, M. et Mme le Maire, M. Blanc, Mme Marti

1ère partie

Qu'est-ce que c'est un ovni ? Un ovni, c'est quelque chose qu'on voit dans le ciel qui n'est pas un avion et qui n'est pas un oiseau non plus. Ovnis O-V-N-I-S veut dire les objets volants non-identifiés, parfois on dit aussi une soucoupe volante. Il y a quelques années, il y avait une histoire d'ovnis en France. Voici l'histoire de cet étrange objet et de son effet sur la population.

France-Inter, la radio française, a annoncé qu'un ovni avait été vu au-dessus de la ville de Rodez dans le département de l'Aveyron. Un facteur qui circulait à bicyclette avec ses lettrés en direction de la petite ville de Primaube a vu cet ovni dans le ciel, vers six heures du matin. Cet objet semblait rester immobile dans le ciel et le facteur avait l'impression que des êtres extra-terrestres l'observaient par les petites fenêtres de la soucoupe volante.

Vers six heures et demie, le même matin, le patron d'un café de Figeac, une autre petite ville, a vu une boule lumineuse qui allait en direction nord-ouest. Cette boule a semblé s'arrêter au dessus de la ville et le propriétaire du café a entendu un bourdonnement très fort. Il est rentré dans son café pour faire sortir sa femme, mais quand le couple est sorti du café, l'ovni n'était plus là, il avait disparu.

Le patron du café et le facteur sont allés à la police. Ils ont dit à la police qu'ils pensaient avoir vu une soucoupe volante énorme. Deux jours plus tard, le maire de Rodez a organisé une réunion à l'hôtel de ville pour débattre cette question. Est-ce qu'il y a des ovnis et est-ce que les ovnis surveillent particulièrement la ville de Rodez et notre région ?
Le maire de Rodez s'appelle Monsieur Latour. Parmi les personnes qui sont venues pour discuter cette question importante, se trouve Madame Merac, une habitante de la ville de Figeac, Monsieur Blanc, un habitant de Primaube, et Madame Marti, une habitante de Rodez. Maintenant nous allons rejoindre ces gens rassemblés dans l'hôtel de ville et assister à leurs débats.

2me partie

M. Latour :   Bonjour, Messieurs, dames. Je vous remercie d'être venus. Vous savez tous que nous sommes ici pour discuter les événements de mardi matin. Vous savez que Monsieur Deleteng, le facteur de Rodez, dit qu'il a vu une soucoupe volante à six heures du matin, mardi. Ce qui est très important aussi c'est que Monsieur Deleteng nous dit qu'il pense qu'il y avait des êtres extra-terrestres dans celte machine qui l'observaient. Une demi-heure plus tard, Monsieur Dupont, propriétaire du Café de la Gare à Figeac a vu une grande boule lumineuse au-dessus de la ville qui, à son avis, restait immobile dans le ciel et qui faisait un très grand bruit. Alors, Madame Merac, je vois que vous voulez dire quelque chose, je vous invite à prendre la parole.

Mme Merac :   Merci. Alors, moi, je ne crois pas aux ovnis. Je crois que toutes ces histoires sont de mauvaises plaisanteries. Ce sont tout simplement des farces ou bien il s'agit d'une imagination un peu trop forte, un peu romantique peut-être. Je me demande si le propriétaire du Café de la Gare a peut-être commencé sa jour-

	née avec un petit coup de vin blanc ou peut-être même avec quelque chose de plus fort. (Brouhaha … Cris de « Non, c'est dégueulasse … » etc. etc.)
M. le Maire :	Calmez-vous ! Calmez-vous ! Madame Marti, je vous invite à prendre la parole, mais je vous demande d'être calme, nous trouvons devant un événement qui pourrait être d'une importance capitale pour notre ville et pour notre population.
Mme Marti :	Je vous remercie, Monsieur le Maire. Alors, pour ma part, je crois fermement aux ovnis. À mon avis, il est évident qu'il y a des êtres extra-terrestres. Comment peut-on maintenir le point de vue que nous, sur notre petite terre, nous sommes les seuls êtres vivant dans l'espace énorme de l'univers ? Moi, j'ai toujours pensé qu'il y a d'autres planètes où il y a certainement des êtres beaucoup plus intelligents que nous et parfois, quand je regarde mes concitoyens, j'en suis d'autant plus certaine que ça ne serait pas trop difficile. (Brouhaha … Cris de « Non, c'est un scandale … C'est dégueulasse … »)
Mme Marti :	J'ajoute simplement, Monsieur le Maire, que les occupants des ovnis sont des étrangers extra-terrestres, ce sont des ambassadeurs d'un pouvoir inter-galactique. Pourquoi ces êtres viennent-ils sur notre terre ? Est-ce qu'ils sont dangereux ? Eh bien, je peux vous dire que ces êtres extra-terrestres viennent pour examiner les êtres humains. À mon avis, souvent ils doivent rire de ce qu'ils voient, mais la visite a un autre but d'autant plus important. Ce n'est pas seulement pour examiner les humains mais aussi pour les prévenir contre le mauvais usage des ressources de la terre. Ces gens ont vu de leur planète le problème de pollution sur notre terre. Ils ont compris le mauvais effet des bombes atomiques. Ils savent que les poissons sont morts dans nos fleuves et nos rivières. Ces gens sont venus pour mettre fin à cette pollution. Voilà ce que je pense, moi.
M. le Maire :	Je vous remercie, Madame Marti. Et vous, Monsieur Blanc, qu'est-ce que vous en pensez ? Je vous invite maintenant à prendre la parole.

3e partie

M. Blanc :	Merci, Monsieur le Maire. Moi, je peux vous dire que presque tous les astronautes ont rapporté avoir vu des ovnis. Moi, je suis d'accord avec Madame Marti en ceci : il est tout à fait possible que les êtres en provenance d'une autre planète ou d'autres planètes soient en train d'étudier la terre et d'examiner les humains.
M. le Maire :	Merci, Monsieur Blanc. Madame Merac. Ah, Madame Merac, qu'est-ce que vous en pensez ?
Mme Merac :	Ce que je viens d'entendre est tout à fait stupide. Monsieur Blanc et Madame Marti croient-ils vraiment que la planète Mars est habitée ? Croient-ils vraiment que la planète Vénus est habitée par des petits êtres verts ? Ce sont des imbéciles qui croient à tout cela ! ! (Brouhaha … etc.)
M. le Maire :	Silence, Messieurs. Silence, je vous en prie ! Monsieur Blanc, s'il vous plaît.
M. Blanc :	Je ne suis pas du tout d'accord avec Madame Merac. Nous commençons à explorer l'espace. L'année dernière un vaisseau spatial américain a passé tout près de la planète Jupiter. Si nous, les humains, nous commençons à nous intéresser aux autres planètes, il est tout à fait raisonnable de penser que les individus extra-terrestres commencent à s'intéresser à la terre. Si nous allons à Jupiter, pourquoi les gens d'autres planètes ne peuvent-ils pas venir sur la terre ? Ils ont certainement une technologie beaucoup plus avancée que la nôtre.
Mme Marti :	(interrompt). Monsieur le Maire, Monsieur le Maire, beaucoup de personnes qui déclarent avoir vu des ovnis sont de caractère instable, ça c'est bien connu.

	Elles sont probablement victimes d'hallucinations ou bien elles ont d'autres faiblesses d'esprit !
M. Blanc :	(fâché) Espèce de petite misérable ! Tu parles de moi ? Tu dis que je suis de caractère instable ? Tu dis que j'ai des hallucinations ? Espèce de crétine.
Mme Merac :	(à travers le brouhaha) Non, je n'ai pas dit cela, mon petit bonhomme ! Mais vous donnez quand même l'impression d'être instable.
M. Blanc :	Et ta sœur !
M. le Maire :	Messieurs, Dames ! Messieurs, Dames ! Silence ! Silence ! Madame Marti, je vous demande de prendre la parole.

4ᵉ partie

Mme Marti :	Merci, Monsieur le Maire. J'ai dit tout à l'heure que les occupants des ovnis sont des ambassadeurs d'un pouvoir inter-galactique. Je dois expliquer à tout le monde que les rencontres avec ces individus sont d'une certaine sorte. Il y a d'abord les rencontres du premier type, cela signifie, excusez-moi, excusez-moi, que quelqu'un voit un ovni ou plusieurs ovnis. C'est bien une rencontre du premier type que nous discutons actuellement. Le facteur et le propriétaire du café ont vu un ovni, alors voilà ça s'appelle une rencontre du premier type … Et puis, évidemment, il y a les rencontres du deuxième type, cela signifie que les ovnis laissent derrière eux des traces sur la terre, c'est-à-dire on trouve des végétaux brûlés ou bien peut-être des animaux effrayés, ou bien peut-être après la visite d'un ovni il y a des appareils électriques qui tombent en panne.
Une voix :	(de la salle) Eh bien, c'est bien ça. Mon rasoir est tombé en panne, ce matin.
Une autre voix :	Et oui, mon vieux, ça se voit très bien sur ta figure !
Mme Marti :	Alors, à mon avis, Monsieur le Maire, on devrait envoyer la police à l'endroit où le facteur a vu cet objet volant pour rechercher des traces qu'il aurait laissées derrière lui. On va trouver peut-être un endroit où la terre est brûlée. Alors dans ce cas, nous devrons admettre que nous avons eu une rencontre du deuxième type.
Des voix :	(dans la foule) Oui, c'est ça. alors on envoie la police, on envoie les militaires. Monsieur le Maire, envoyez les gendarmes ! !
Mme Marti :	(continuant) Monsieur le Maire, après les rencontres du premier et du deuxième type, il y a bien entendu des rencontres du troisième type. (Le brouhaha se calme.)
M. le Maire :	Du troisième type, Madame ? Qu'est-ce que c'est que ça ?
Mme Marti :	On peut dire qu'on a eu une rencontre du troisième type quand on voit les occupants des ovnis (Silence).
Mme Merac :	Je m'en fous de vos rencontres, moi. Madame ! Quelle stupidité ! C'est une imbécile, cette femme ! Quelle imagination ! C'est de la folie ! Mais quelle idiote ! Ce que les deux pauvres types ont vu, ce n'est pas un ovni, ce n'est pas une soucoupe volante, ce n'est pas un véhicule qui vient d'une autre planète, c'était probablement un satellite fabriqué par les hommes ou bien, c'est un ballon sonde, c'est tout. (Brouhaha encore une fois).
M. le Maire :	Messieurs, Dames. Calmez-vous. Calmez-vous, je vous en prie. Alors Messieurs, Dames, je vous propose une solution, on pourrait rester ici toute la journée pour discuter l'existence des ovnis, ça ne mènerait à rien. Alors, j'ai pris la décision de faire venir la police et nous allons trouver l'endroit près de Primaube où le facteur a vu cet étrange objet. Bon, bon, c'est tout. Messieurs, Darnes, je vous remercie, la réunion est terminée.

Scénette No. 5

Déménager ou non ?
(Unités 31–33)

Personnages
Mme Escolier, M. Escolier, Anne-France, Olivier

1ère partie

Monsieur Jean-Claude Escolier est psychologue et psychiatre. Il a son cabinet personnel à Lille, dans le nord de la France. Il a vu dans un journal une annonce pour un poste comme Chef Psychiatre à l'hôpital psychiatrique de Lyon. Actuellement la famille Escolier habite un bel appartement dans un nouvel ensemble dans la banlieue de Lille. C'est un appartement très bien au cinquième étage, avec salon, salle à manager, quatre chambres à coucher, cuisine, salle de bains et un grand balcon.

Sa femme Solange étudie l'allemand depuis un an à l'Institut Goethe de Lille. Elle prépare un diplôme afin de devenir secrétaire bilingue. Elle aime beaucoup l'Allemagne et la langue allemande. Elle espère se présenter à l'examen l'an prochain.

Oliver, âgé de dix-sept ans, a encore deux ans à faire avant de passer son baccalauréat. Il va au lycée Berthelot où il a beaucoup d'amis. Anne-France, âgée de quinze ans, va aussi au lycée et joue du violon dans l'orchestre des jeunes. Elle aussi, elle a beaucoup de copains et de copines au lycée.

Les membres de la famille parlent du poste et ils se posent la question : « Est-ce que Monsieur Escolier doit demander des détails sur cette situation à Lyon, oui ou non ? » Evidemment Lille est très loin de Lyon et si Monsieur Escolier obtenait ce nouveau poste, la famille devrait aller à Lyon.

2me partie

Mme Escolier :	Alors, Jean-Claude, donne-nous un peu de détails sur ce poste ?
M Escolier :	Eh bien, c'est pour un poste de Chef de Service, c'est-à-dire que c'est un poste très important. Le Chef de Service a une équipe de trois psychiatres et en plus, un personnel de cinquante personnes environ.
Mme Escolier :	Et dans cet hôpital, il y a combien de patients ?
M. Escolier :	Il y en a à peu près trois cents.
Anne-France :	Franchement, Papa, je ne veux pas quitter Lille. Tu sais que j'aime beaucoup jouer du violon dans l'orchestre des jeunes. Je sais qu'il y aura des concerts magnifiques, l'année prochaine. On va même jouer une symphonie de Beethoven, je ne veux pas manquer ça. Et puis, je ne sais pas s'il y a un orchestre de jeunes à Lyon, et même s'il y en a un, il serait peut-être difficile d'être acceptée. Ici à Lille j'ai ma place dans l'orchestre. Tu comprends Papa, n'est-ce pas ? Tu comprends ce que je veux dire ?
M. Escolier :	Bien sûr ma petite. Je te comprends bien, mais il y a une autre chose qu'il faut discuter. Ici, à Lille, je suis médecin non-conventionné, c'est-à-dire que j'ai une pratique privée, donc quand j'aurai soixante ans je n'aurai pas de pension. Il faut faire beaucoup d'économies ici à cause de cela. Mais si je prends ce poste comme Chef de Service à l'hôpital psychiatrique à Lyon, j'aurai droit à une pension de l'État quand je prendrai ma retraite. Et ça, c'est une chose très

	importante, il ne faut quand même pas oublier que quand on devient âgé, une bonne retraite est une chose très importante.
Mme Escolier :	Mais Chéri, il faut penser aux gosses. Je pense à Olivier. Tu sais qu'il ne lui reste que deux ans à faire au lycée avant de passer son bac. Si on allait à Lille ses études seraient perturbées. On devrait chercher une nouvelle école. Je ne sais pas si les lycées à Lyon sont bons. Il faudrait peut-être l'envoyer dans une école privée et ça, ça coûte beaucoup d'argent. Ce n'est pas très simple, ton projet. C'est vrai ce que tu dis, Chéri. Bien entendu, il serait très agréable d'avoir une grande maison dans un parc. Et s'il y avait un jardin, ce serait très bien aussi. Mais il y a un problème. Plus tard, quand tu auras soixante ans et que tu prendras ta retraite, nous serons obligés de quitter la maison ; c'est-à-dire il nous faudra chercher une autre maison. À ce moment-là, quand tu prendras ta retraite, les appartements seront peut-être très chers ? À mon avis, en tout cas, il faut toujours faire des économies.
Anne-France :	Si tu obtiens ce poste, Papa, est-ce que tu vas avoir à acheter une maison ou un appartement à Lyon ?
M. Escolier :	Non, pas forcément. Il y a un pavillon situé dans le parc de l'hôpital et ce pavillon (c'est une petite maison, je suppose) est à la disposition du Chef de Service.
Anne-France :	Qu'est-ce que ça veut dire, Papa ?
M. Escolier :	C'est-à-dire qu'il y a une maison pour nous, pour toute la famille dans le parc de l'hôpital. Il a sûrement un beau jardin. Ça serait beaucoup mieux qu'ici. Notre balcon n'est pas mal pour un appartement comme le nôtre, mais ce n'est pas la même chose qu'un beau jardin.
Mme Escolier :	Jean-Claude, et l'argent ? C'est bien payé ce poste, j'espère ?
M. Escolier :	Ah, oui, certainement. C'est un poste de Chef de Service quand même ! Je ne sais pas exactement combien je gagnerais, mais c'est certainement beaucoup plus que je gagne maintenant.

3e partie

Mme Escolier :	Alors moi, je pense à mes études d'allemand. Si nous quittons Lille maintenant, je dois interrompre mes études d'allemand, ça serait vraiment dommage. Je fais des progrès. Je ne sais pas si il y a une branche de l'institut Goethe à Lyon. Je ne crois pas. Tu sais, Chéri, ce serait vraiment dommage !
Olivier :	À mon avis, c'est une très bonne idée. Je n'aime pas le climat ici à Lille. Il fait toujours froid, il pleut tout le temps. C'est affreux ! À Lyon, c'est autre chose, c'est presque le Midi. J'aime le soleil, moi. J'ai horreur de ces nuages, de cette pluie et du brouillard ! Et puis, il y a autre chose. Si on habitait un pavillon avec un jardin, je pourrais enfin avoir un chien, j'ai toujours voulu avoir un chien, vous savez. Alors, moi, je suis pour Papa.
M. Escolier :	Et toi, Anne-France ? Qu'est-ce que tu en penses, toi ?
Anne-France :	Papa, tu dis que ce serait un avantage de vivre tout près de ton travail et je te comprends. Mais, d'un autre côté, tu serais de service vingt-quatre heures sur vingt-quatre. Il te serait très difficile de sortir le soir avec Maman, aller au théâtre ou au cinéma. Il faut penser à cela, n'est-ce pas ?
Olivier :	Vous avez oublié quelque chose. Ce serait parfait d'habiter à Lyon. Il ne faut pas oublier que la maison de vacances familiale est dans les Pyrénées, tout près de Mirepoix. Vous savez tous combien ça nous fait plaisir d'aller à Verniolle, mais pendant que nous sommes ici à Lille, on peut y aller seulement une fois ou peut-être deux fois par an. Si on habitait à Lyon, il serait possible d'aller à Verniolle de temps en temps pour un week-end, pensez à ça.

M. Escolier : Eh bien, je vois que c'est un grand problème pour tout le monde. Ce n'est pas du tout facile. Il y a des avantages et des inconvénients. Je vais penser à tout cela pendant quelques jours et on en parlera encore une fois un peu plus tard.

Solutions • Answers

Unité 3

Exercice 2

Monsieur :	Bonjour.
Vous :	Bonjour.
Monsieur :	Vous êtes de quelle partie de la France ?
Vous :	Je suis de Paris.
Monsieur :	D'où exactement ?
Vous :	De St. Cloud.

Monsieur :	Bonjour.
Vous :	Bonjour.
Monsieur :	Vous êtes de quelle partie de la France ?
Vous :	D'Alpes-Maritimes.
Monsieur :	D'où exactement ?
Vous :	De Nice.

Monsieur :	Bonjour.
Vous :	Bonjour.
Monsieur :	Vous êtes de quelle partie de la France ?
Vous :	Je suis de Paris.
Monsieur :	D'où exactement ?
Vous :	De St. Denis.

Monsieur :	Bonjour.
Vous :	Bonjour.
Monsieur :	Vous êtes de quelle partie de la France ?
Vous :	Je viens de l'Alsace.
Monsieur :	D'où exactement ?
Vous :	De Mulhouse.

Monsieur :	Bonjour.
Vous :	Bonjour.
Monsieur :	Vous êtes de quelle partie de la France ?
Vous :	Je viens du Languedoc-Roussillon.
Monsieur :	D'ou exactement ?
Vous :	De Montpellier.

Monsieur :	Bonjour.
Vous :	Bonjour.
Monsieur :	Vous êtes de quelle partie de la France ?
Vous :	Je suis du Pays Basque.
Monsieur :	D'où exactement ?
Vous :	De Biarritz.

Monsieur :	Bonjour.
Vous :	Bonjour.
Monsieur :	Vous êtes de quelle partie de la France ?
Vous :	Je viens de la Bretagne.
Monsieur :	D'où exactement ?
Vous :	De Vannes.

Monsieur :	Bonjour.
Vous :	Bonjour.
Monsieur :	Vous êtes de quelle partie de la France ?
Vous :	Je suis de la Gascogne.
Monsieur :	D'où exactement ?
Vous :	De Pau.

Unité 12

Exercice 1

Ma femme/mon mari travaille chez Air France.
Ma femme/mon mari travaille chez Les Trois Mosquetaires.
Ma femme/mon mari travaille chez Leclerc.
etc.
Mon frère/ma sœur travaille chez Air France.
Mon frère/ma sœur travaille chez Les Trois Mosquetaires.
Mon frère/ma sœur travaille chez Leclerc.
etc.

Unité 13

Exercice 1

b.) 1. A. Madame Defarges, elle habite un appartement ?
      B. Non. elle habite une maison.
   2. A. Mademoiselle Pagès, elle habite un appartement ?
      B. Oui, elle habite un appartement.
   3. A. Monsieur Duez, il habite un appartement ?
      B. Oui, il habite un immeuble.
   4. A. Mademoiselle Polidor, elle habite un appartement ?
      B. Non, elle habite un studio.
   5. A. Monsieur et Madame Roches, ils habitent un appartement ?
      B. Non, ils habitent une maison particulière.
   6. A. Sylvie, elle habite un appartement ?
      B. Non, elle habite une chambre d'étudiante.

Exercice 2

c.) A. Où habitez-vous, Mademoiselle Polidor ?
    B. J'habite la campagne.
    A. Qu'est-ce que vous avez comme habitation ?
    B. J'habite un studio dans une maison.
    A. Vous êtes là depuis quand ?
    B. Depuis deux mois.
    A. La maison est bien située ?
    B. Ah, non, il n'y a pas de gare et le seul autobus part pour la ville à sept heures
         et demie du matin.
    A. Vous habitez seule ?
    B. Oui, j'habite toute seule.

Exercice 3

Collègue : Bonjour.
Henri :   Où habitez-vous ?
Collègue : À Bordeaux.
Henri :   Qu'est-ce que vous avez comme habitation ?
Collègue : J'habite un appartement.
Henri :   La maison est bien située ?
Collègue : Oui, l'autobus est à cinquante mètres.
Henri :   Vous êtes là depuis quand ?
Collègue : Depuis trois mois.

Unité 15

Exercice 2

Vous allez à Nice ?	Ce train va à Nice ?	Ce bus va à Nice ?
Vous allez à Jussieu ?	Ce train va à Jussieu ?	Ce bus va à Jussieu ?
Vous allez a l'hôtel de Ville ?	Ce train va à l'hôtel de Ville ?	Ce bus va à l'hôtel de Ville ?
Vous allez au centre ?	Ce train va au centre ?	Ce bus va au centre ?
Vous allez au théâtre ?	Ce train va au théâtre ?	Ce bus va au théâtre ?

Unité 16

Exercice 2

1. A. C'est qui Yves ?
    B. Yves est le mari de Michelle. Il est le père de Jean et le fils de Jeanne.
2. A. C'est qui André ?
    B. André est le père de Georges, le fils d'Yves et de Michelle et le petit-fils de Pierre et Jeanne Leclerc.
3. A. C'est qui Pierre Leclerc ?
    B. Pierre est le mari de Jeanne, le père d'Annie et le Grand-Père d'Alice, Serge et Pierre.
4. A. C'est qui, Marcel Gabrel ?
    B. Marcel est le mari d'Annie, le beau-fils de Pierre et Jeanne Leclerc et le père d'Alice, Serge et Pierre.
5. A. C'est qui, Alice Gabrel ?
    B. Alice est la sœur de Serge et de Pierre, la fille d'Annie et Marcel, la petite fille de Pierre et Jeanne.
6. A. C'est qui, Alain Barbier ?
    B. Alain est le frère de Georges et André, le fils d'Yves et Michelle, et le petit-fils de Pierre et Jeanne.
7. A. C'est qui, Annie Gabrel ?
    B. Annie est la femme de Marcel, la fille de Pierre et Jeanne est la mère d'Alice, Serge et Pierre.
8. A. C'est qui, Jeanne Leclerc ?
    B. Jeanne est la femme de Pierre, la mère d'Annie et Yves, la grand-mère d'Alice, Serge, Pierre, André, Georges et Alain.

Exercice 3

Marie-France a vingt et un ans, elle est sympathique et de bonne humeur.
Maurice a trente ans, il est assez bête et toujours en retard.
Solange a trente-cinq ans, elle est très intelligente, mais elle est impatiente.
Victor a cinquante ans, il est assez superficiel et nerveux.
Marie-Hélène a quarante-trois ans, elle est consciencieuse et timide.
Philippe a vingt-huit ans. Il est généreux et toujours de bonne humeur.

Unité 18

Exercice 1

Conversation 1

Garçon : Vous êtes prêt à commander ?
Vous :   Nous prenons la pamplemousse au sucre et le poulet rôti.
Garçon : Oui. Monsieur. Qu'est-ce pue je vous sers à boire ?
Vous :   De l'eau, s'il vous plaît.
Garçon : Bien, Monsieur.

Conversation 2

Garçon : Vous êtes prêt a commander ?
Vous :   Nous prenons les cannelonis maison « spécialité » et le sauté de veau aux champignons.

Garçon :	Qu'est-ce que je vous sers à boire ?
Vous :	Donnez-moi la carte des vins, s'il vous plaît.
Garçon :	Qu'est-ce que je vous sers comme dessert ?
Vous :	Pas de dessert, mais nous prenons un café.

Unité 19

Exercice 3

Réception :	Hôtel des Arcades. Bonjour.
Vous :	Bonjour. Je voudrais réserver une chambre.
Réception :	Pour une ou pour deux personnes ?
Vous :	Pour une personne.
Réception :	Pour combien de nuits ?
Vous :	Pour une nuit.
Réception :	Oui, j'ai une chambre pour une personne.
Vous :	Avec salle de bains ?
Réception :	Oui, avec salle de bains.
Réception :	C'est à 20 €.
Vous :	Alors je la prends.
Réception :	C'est à quel nom ?
Vous :	Saunier.
Réception :	Bon. Vous pouvez envoyer une confirmation ?
Vous :	Oui. Bien sûr.
Réception :	Merci.
Vous :	De rien. Au revoir.
Réception :	Au revoir.
Vous :	Et ça coûte combien ?

Unité 20

Exercice 2

Lundi ?	Il faut réserver une chambre à l'Hôtel de la Poste.
Mardi ?	Il faut acheter un collier pour Sylvie.
Mercredi ?	Il faut téléphoner à Sylvie.
Jeudi ?	Il faut acheter une raquette.
Vendredi ?	Il faut aller à Montmartre.
Samedi matin ?	Il faut faire du jogging.
Samedi soir ?	Il faut réserver une table Chez Max.
Dimanche ?	Il faut visiter Versailles.

Unité 21

Exercice 2

Vous savez faire du cheval ?
Marie-Hélène, elle sait faire du cheval ?
Vous savez nager ?
Marie-Hélène, elle sait nager ?
Vous savez conduire ?
Marie-Hélène, elle sait conduire ?
Vous savez jouer de la guitare ?
Marie-Hélène, elle sait jouer de la guitare ?

Vous savez jouer aux cartes ?
Marie-Hélène, elle sait jouer aux cartes ?
Vous savez faire du ski ?
Marie-Hélène, elle sait faire du ski ?
Vous savez chanter ?
Marie-Hélène, elle sait chanter ?
Vous savez faire la cuisine ?
Marie-Hélène, elle sait faire la cuisine ?

Vous savez danser ?
Marie-Hélène, elle sait danser ?

Vous savez jouer au tennis ?
Marie-Hélène, elle sait jouer au tennis ?

Exercice 3

Vous :	Mathieu, on joue au foot ?
Mathieu :	Oui, bonne idée.
Vous :	Mathieu, on fait du cheval ?
Mathieu :	Oui, bonne idée.
Vous :	Mathieu, on joue aux cartes ?
Mathieu :	Non, je ne sais pas jouer aux cartes.
Vous :	Mathieu, on joue au tennis ?
Mathieu :	Oui, bonne idée.
Vous :	Mathieu, on va à la piscine ?
Mathieu :	Oui, bonne idée.
Vous :	Madeleine, on va danser ?
Madeleine :	Oui, bonne idée.
Vous :	Madeleine, on fait du ski ?
Madeleine :	Non, je ne sais pas faire du ski.
Vous :	Madeleine, on joue aux cartes ?
Madeleine :	Oui, bonne idée.
Vous :	Madeleine, on joue au foot ?
Madeleine :	Non, je ne sais pas jouer au foot.
Vous :	Madeleine, on regarde la télévision ?
Madeleine :	Oui, bonne idée.

Unité 22

Exercice 2

Réception :	Bonjour. Le cabinet du Docteur Letombe.
Vous :	Bonjour. Je voudrais prendre rendez-vous pour voir le docteur.
Réception :	C'est de la part de qui ?
Vous :	Jacqueline Couboules.
Réception :	Vous voulez venir quand ?
Vous :	C'est possible demain matin ?
Réception :	Non Je regrette. Vous pouvez venir demain après-midi à 16h45 ?
Vous :	D'accord.
Réception :	Au revoir.

Exercice 3

Vous :	Je suis en panne.
TCF :	Donnez-moi votre numéro d'immatriculation.
Vous :	NEA-RX104.
TCF :	Vous avez quelle marque de voiture ?
Vous :	Une Mercedes.
TCF :	Elle est de quelle couleur ?
Vous :	Elle est rouge.
TCF :	Donnez-moi le numéro de téléphone.
Vous :	236.
TCF :	Où êtes-vous ?
Vous :	Sur la A1 à 15 kilomètres de Senlis vers Paris.
TCF :	Vous êtes abonné au Touring Club de France ?

Vous :	Oui.
TCF :	J'envoie quelqu'un tout de suite.
Vous :	Merci.

Vous :	Je suis en panne.
TCF :	Donnez-moi votre numéro d'immatriculation
Vous :	3129 ON 05.
TCF :	Vous avez quelle marque de voiture ?
Vous :	Une Porsche.
TCF :	Elle est de quelle couleur ?
Vous :	Elle est jaune.
TCF :	Donnez-moi le numéro de téléphone.
Vous :	276.
TCF :	Où êtes-vous ?
Vous :	Sur la route nationale 10 à 22 kilomètres de Tours. Je vais vers Vendôme.
TCF :	Vous êtes abonné au Touring Club de France ?
Vous :	Oui.
TCF :	J'envoie quelqu'un tout de suite.
Vous :	Merci.

Unité 23

Exercice 1

1. | | |
   |---|---|
   | Employé : | Bonjour, Monsieur. |
   | Touriste : | Bonjour. Vous pouvez m'aider ? Mon rasoir ne marche pas bien. |
   | Employé : | Qu'est-ce qu'il a ? |
   | Touriste : | Il fait un drôle de bruit. |
   | Employé : | Bon. |
   | Touriste : | Vous pouvez me le réparer ? |
   | Employé : | Je ferai de mon mieux. |
   | Touriste : | Il vous faut combien de temps ? |
   | Employé : | Revenez demain matin. |
   | Touriste : | Merci. |

2. | | |
   |---|---|
   | Employé : | Bonjour, Madame. |
   | Touriste : | Bonjour. Vous pouvez m'aider ? Ma montre retarde. Vous pouvez me la réparer ? |
   | Employé : | Je ferai de mon mieux. |
   | Touriste : | Il vous faut combien de temps ? |
   | Employé : | Revenez demain matin. |
   | Touriste : | Merci. |

3. | | |
   |---|---|
   | Employé : | Bonjour. Madame. |
   | Touriste : | Bonjour. Vous pouvez m'aider ? La mise au point de mon appareil ne marche pas. Vous pouvez me la réparer ? |
   | Employé : | Je ferai de mon mieux. |
   | Touriste : | Il vous faut combien de temps ? |
   | Employé : | Revenez demain matin. |
   | Touriste : | Merci. |

4. | | |
   |---|---|
   | Employé : | Bonjour, Madame. |
   | Touriste : | Bonjour. Vous pouvez m'aider ? L'alarme de mon réveil-matin ne marche pas. Vous pouvez me la réparer ? |

Employé : Je ferai de mon mieux.
Touriste : Il vous faut combien de temps ?
Employé : Revenez demain matin.
Touriste : Merci.

5. Employé : Bonjour, Madame.
   Touriste : Bonjour Vous pouvez m'aider ? Ma radio ne marche pas bien.
   Employé : Qu'est-ce qu'elle a ?
   Touriste : Elle fait un drôle de bruit.
   Employé : Bon.
   Touriste : Vous pouvez me la réparer ?
   Employé : Je ferai de mon mieux.
   Touriste : Il vous faut combien de temps ?
   Employé : Revenez demain matin.
   Touriste : Merci.

Exercice 2

1. TCF : Touring Club de France, bonjour.
   C : Bonjour. Vous pouvez m'aider, s'il vous plaît ?
   TCF : Qu'est-ce qu'il y a ?
   C : Je suis en panne.
   TCF : Vous êtes où ?
   C : Entre Angers et Tours.
   TCF : Qu'est-ce que vous avez comme voiture ?
   C : J'ai une Mercedes 190.
   TCF : Quel est votre nom ?
   C : DUPONT. D-U-P-O-N-T.
   TCF : Qu'est-ce qu'elle a, votre voiture ?
   C : La batterie est à plat.
   TCF : Vous êtes abonné au Touring Club de France, Monsieur Dupont ?
   C : Oui.
   TCF : Ne quittez pas voire voiture. J'envoie quelqu'un tout de suite.
   C : Merci.

2. TCF : Touring Club de France, bonjour.
   C : Bonjour. Vous pouvez m'aider s'il vous plaît ?,
   TCF : Qu'est-ce qu'il y a ?
   C : Je suis en panne.
   TCF : Vous êtes où ?
   C : Entre Bourges et Issoudun.
   TCF : Qu'est-ce que vous avez comme voiture ?
   C : J'ai une Audi 100.
   TCF : Quel est voire nom ?
   C : DUFRESNE. D-U-F-R-E-S-N-E.
   TCF : Qu'est-ce qu'elle a, votre voiture ?
   C : Le radiateur est cassé.
   TCF : Vous êtes abonnée au Touring Club de France, Madame Dufresne ?
   C : Oui.
   TCF : Ne quittez pas votre voiture. J'envoie quelqu'un tout de suite.
   C : Merci.

3. TCF : Touring Club de France, bonjour.
   C : Bonjour. Vous pouvez m'aider, s'il vous plaît ?

```
TCF : Qu'est-ce qu'il y a ?
C :    Je suis en panne.
TCF : Vous êtes où ?
C :    Entre Nantes et Ancenis.
TCF : Qu'est-ce que vous avez comme voiture ?
C :    J'ai une Ford Sierra.
TCF : Quel est votre nom ?
C :    BAUCHE. B-A-U-C-H-E.
TCF : Qu'est-ce qu'elle a, votre voiture ?
C :    Le moteur fait un drôle de bruit.
TCF : Vous êtes abonné au Touring Club de France, Monsieur Bauche ?
C :    Oui.
TCF : Ne quittez pas votre voiture. J'envoie quelqu'un tout de suite.
C :    Merci.

4.  TCF : Touring Club de France, bonjour.
    C :    Bonjour. Vous pouvez m'aider, s'il vous plaît ?
    TCF : Qu'est-ce qu'il y a ?
    C :    Je suis en panne.
    TCF : Vous êtes où ?
    C :    Près de Brive.
    TCF : Qu'est-ce que vous avez comme voiture ?
    C :    J'ai une Renault 12.
    TCF : Quel est votre nom ?
    C :    DEPARDIEU. D-E-P-A-R-D-I-E-U.
    TCF : Qu'est-ce qu'elle a, votre voiture ?
    C :    Le pare-brise est cassé.
    TCF : Vous êtes abonnée au Touring Club de France, Madame Depardieu ?
    C :    Oui.
    TCF : Ne quittez pas votre voiture. J'envoie quelqu'un tout de suite.
    C :    Merci.

5.  TCF : Touring Club de France, bonjour.
    C :    Bonjour, Vous pouvez m'aider. s'il vous plaît ?
    TCF : Qu'est-ce qu'il y a ?
    C :    Je suis en panne.
    TCF : Vous êtes où ?
    C :    Entre Tarbes et Pau.
    TCF : Qu'est-ce que vous avez comme voiture ?
    C :    J'ai une Mazda 626.
    TCF : Quel est votre nom ?
    C :    LECLERC. L-E-C-L-E-R-C.
    TCF : Qu'est-ce qu'elle a, votre voiture ?
    C :    Les essuie-glaces ne marchent pas.
    TCF : Vous êtes abonné au Touring Club de France, Monsieur Leclerc ?
    C :    Oui.
    TCF : Ne quittez pas votre voiture. J'envoie quelqu'un tout de suite.
    C :    Merci.

6.  TCF : Touring Club de France, bonjour.
    C :    Bonjour. Vous pouvez m'aider, s'il vous plaît ?
    TCF : Qu'est-ce qu'il y a ?
    C :    Je suis en panne.
    TCF : Vous êtes où ?
```

```
C :     Entre Montauban et Albi.
TCF :   Qu'est-ce que vous avez comme voiture ?
C :     J'ai une 2CV.
TCF :   Quel est votre nom ?
C :     NOIRHOMME. NO-I-R-H-O-M-M-E.
TCF :   Qu'est-ce qu'elle a, votre voiture ?
C :     Le tuyau d'échappement est cassé.
TCF :   Vous êtes abonnée au Touring Club de France, Madame Noirhomme ?
C :     Oui.
TCF :   Ne quittez pas votre voiture. J'envoie quelqu'un tout de suite
C :     Merci.
```

Unité 24

Exercice 3

Bonjour docteur.
Qu'est-ce qu'il y a ?
J'ai mal à la gorge.
Vous avez ça depuis quand ?
J'ai ça depuis deux jours.
Je vais vous donner quelque chose pour ça.

Bonjour docteur.
Qu'est-ce qu'il y a ?
J'ai mal aux dents.
Vous avez ça depuis quand ?
J'ai ça depuis trois jours.
Je vais vous donner quelque chose pour ça.

Bonjour docteur.
Qu'est-ce qu'il y a ?
J'ai mal au dos.
Vous avez ca depuis quand ?
J'ai ça depuis trois semaines.
Je vais vous donner quelque chose pour ça.

Bonjour docteur.
Qu'est-ce qu'il y a ?
J'ai de la fièvre.
Vous avez ça depuis quand ?
J'ai ça depuis deux jours.
Je vais vous donner quelque chose pour ça.

Bonjour docteur.
Qu'es-ce qu'il y a ?
J' ai la diarrhée.
Vous avez ça depuis quand ?
J'ai la diarrhée depuis hier.
Je vais vous donner chose pour ça.

Unité 26

Exercice 2

Collègue :   Vous êtes libre demain soir ?
Vous :   Demain soir ? Mais oui.
Collègue :   Il y a un concert au Sofitel. On y va ?
Vous :   Un concert ? C'est une bonne idée.
Collègue :   On se retrouve à 7h30 ?
Vous :   D'accord, à 7h30
Collègue :   Dans le foyer.
Vous :   D'accord, dans le foyer.
Collègue :   Au revoir.
Vous :   Au revoir.

Collègue :	Vous êtes libre demain soir ?
Vous :	Demain soir ? Mais oui.
Collègue :	Il y a un film au Sofitel. On y va ?
Vous :	Un film ? C'est une bonne idée.
Collègue	On se retrouve à 7h30 ?
Vous :	D'accord, à 7h30.
Collègue :	Dans le foyer.
Vous :	D'accord, dans le foyer.
Collègue :	Au revoir.
Vous :	Au revoir.

Collègue :	Vous êtes libre demain soir ?
Vous :	Demain soir ? Mais oui.
Collègue :	Il y a un film au Sofitel. On y va ?
Vous :	Un film ? C'est une bonne idée.
Collègue :	On se retrouve à 8h ?
Vous :	D'accord, à 8h.
Collègue :	Dans le foyer.
Vous :	D'accord, dans le foyer.
Collègue :	Au revoir.
Vous :	Au revoir.

Collègue :	Vous êtes libre demain soir ?
Vous :	Demain soir ? Mais oui.
Collègue :	Il y a un film au Kinopanorama. On y va ?
Vous :	Un film ? C'est une bonne idée.
Collègue :	On se retrouve à 8h ?
Vous :	D'accord, à 8h.
Collègue :	À l'entrée.
Vous :	D'accord, à l'entrée.
Collègue :	Au revoir.
Vous :	Au revoir.

Collègue :	Vous êtes libre demain soir ?
Vous :	Demain soir ? Mais oui.
Collègue :	Il y a un film au Kinopanorama. On y va ?
Vous :	Un film ? C'est une bonne idée.
Collègue :	On se retrouve à 8h ?
Vous :	D'accord, à 8h.
Collègue :	À l'entrée.
Vous :	D'accord, dans le foyer.
Collègue :	Au revoir.
Vous :	Au revoir.

Unité 27

Exercice 3

c.) André :	Vous êtes libre, demain soir ?
Solange :	Oui. Pourquoi ?
André :	Il y a un nouveau film au Palais. Vous voulez y aller ?
Solange :	Bonne idée. On se retrouve où ?
André :	Devant la Tour St-Jacques.

Solange :	C'est où, ça ?
André :	C'est dans la rue de Rivoli. Au coin de la rue St-Martin.
Solange :	Bon. On se retrouve quand ?
André :	À 19h30.
Solange :	D'accord. À demain.

d.)
André :	Vous êtes libre, demain soir ?
Solange :	Oui. Pourquoi ?
André :	Il y a un nouveau film au Palais. Vous voulez y aller ?
Solange :	Bonne idée. On se retrouve où ?
André :	Devant le métro St-Michel.
Solange :	C'est où, ça ?
André :	C'est sur le boulevard St-Michel. Au coin du quai St-Michel.
Solange :	Bon. On se retrouve quand ?
André :	À 18h00.
Solange :	D'accord. À demain.

e.)
André :	Vous êtes libre, demain soir ?
Solange :	Oui. Pourquoi ?
André :	Il y a un nouveau film au Palais. Vous voulez y aller ?
Solange :	Bonne idée. On se retrouve où ?
André :	Devant le Théâtre Olympia.
Solange :	C'est où, ça ?
André :	C'est sur le boulevard des Capucines. Au coin de la rue Caumartin.
Solange :	Bon. On se retrouve quand ?
André :	À 20h00.
Solange :	D'accord. À demain.

Unité 28

Exercice 2

1.
Vendeuse :	Vous désirez ?
Vous :	Je cherche une jupe.
Vendeuse :	Vous faites quelle taille ?
Vous :	Je prends du 38.
Vendeuse :	En coton ?
Vous :	Oui. En coton.
Vendeuse :	Vous cherchez quelle couleur ?
Vous :	Rouge foncé.
Vendeuse :	Ceci est très chic.
Vous :	Oui Je l'aime beaucoup.

2.
Vendeuse :	Vous désirez ?
Vous :	Je cherche une blouse.
Vendeuse :	Vous faites quelle taille ?
Vous :	Je prends du 40.
Vendeuse :	En soie ?
Vous :	Oui. En soie.
Vendeuse :	Vous cherchez quelle couleur ?
Vous :	Jaune.

3.
Vendeuse :	Vous désirez ?
Vous :	Je cherche un costume.
Vendeuse :	Vous faites quelle taille ?
Vous :	Je prends du 44.
Vendeuse :	Vous cherchez quelle couleur ?
Vous :	Gris ou vert.
Vendeuse :	Ceci est très chic.
Vous :	Oui. Je l'aime beaucoup C'est combien ?

4.
Vendeuse :	Vous désirez ?
Vous :	Je cherche une cravate.
Vendeuse :	En soie ?
Vous :	Oui. En soie.
Vendeuse :	Ceci est très chic.
Vous :	Oui. Je l'aime beaucoup. C'est combien ?

Vendeuse : Ceci est très chic.
Vous : Oui. Je l'aime beaucoup.
C'est combien ?

Exercice 3

Vendeuse : Bonjour Madame. Vous désirez ?
Cliente : Je cherche un pantalon.
Vendeuse : Oui Madame. Vous faites quelle taille ?
Cliente : Je fais du 26.
Vendeuse : Vous cherchez quelle couleur, Madame ?
Cliente : Rouge ou brun.
Vendeuse : Voici un pantalon rouge très élégant.
Cliente : Je n'aime pas ça.
Vendeuse : Et ce pantalon brun ?
Cliente : J'aime ça. Je peux l'essayer ?
Vendeuse : Certainement, Madame. Le vestiaire est là-bas.
Cliente : Il est trop petit. Vous n'avez pas la taille au-dessus ?
Vendeuse : Je regrette, Madame. C'est le seul que nous ayons en brun.
Cliente : Merci beaucoup. Au revoir.

Unité 30

Exercice 2

Vous : Excusez-moi. J'ai perdu ma veste.
Employé : Vous pouvez la décrire ?
Vous : Elle est neuve.
Employé : Vous l'avez perdu où ?
Vous : Dans un bus numéro 13.
Employé : C'est celle-ci ?
Vous : Oui. Merci beaucoup.

Vous : Excusez-moi. J'ai perdu mon sac.
Employé : Vous pouvez le décrire ?
Vous : Il est en cuir.
Employé : Vous l'avez perdu où ?
Vous : Dans un café.
Employé : C'est celui-ci ?
Vous : Oui. Merci beaucoup.

Vous : Excusez-moi. J'ai perdu mon porte-monnaie.
Employé : Vous pouvez le décrire ?
Vous : Il est tout neuf.
Employé : Vous l'avez perdu où ?
Vous : Dans les toilettes.
Employé : C'est celui-ci ?
Vous : Oui. Merci beaucoup.

Vous : Excusez-moi. J'ai perdu mon sac-à-dos avec mes lunettes, mon argent et mes clefs de voiture.
Employé : Vous les avez perdus où ?
Vous : Sur la plage.
Employé : C sont celui-ci ?
Vous : Oui. Merci beaucoup.

Vous : Excusez-moi. J'ai perdu mes gants.
Employé : Vous pouvez les décrire ?
Vous : Ils sont en cuir.
Employé : Vous les avez perdus où ?
Vous : Dans un restaurant.
Employé : C'est ceux-ci ?
Vous : Oui. Merci beaucoup.

Vous : Excusez-moi. J'ai perdu mes lunettes.
Employé : Vous pouvez les décrire ?
Vous : Elles sont neuves.
Employé : Vous les avez perdues où ?
Vous : Chez le coiffeur.
Employé : C'est celles-ci ?
Vous : Oui. Merci beaucoup.

Vous :	Excusez-moi. J'ai perdu mon porte-monnaie et mon permis de conduire.
Employé :	Vous les avez perdus où ?
Vous :	Dans un bus numéro 47.
Employé :	Ce sont ceux-ci ?
Vous :	Oui. Merci beaucoup.

Exercice 3

Employé :	Je peux vous aider ?
Vous :	Oui. J'ai perdu mon sac.
Employé :	Il est de quelle couleur ?
Vous :	Il est brun.
Employé :	Il est neuf ?
Vous :	Oui. Il est tout neuf.
Employé :	Qu'est-ce qu'il y avait dedans ?
Vous :	Il y avait mon passeport et mes lunettes.
Employé :	Vous l'avez perdu où ?
Vous :	À l'entrée du musée d'Orsay.
Employé :	C'est celui-ci ?
Vous :	Oui. Merci, beaucoup.
Employé :	Je peux vous aider ?
Vous :	Oui. J'ai perdu mon porte-monnaie.
Employé :	Il est de quelle couleur ?
Vous :	Il est blanc.
Employé :	Il est neuf ?
Vous :	Oui. Il est tout neuf.
Employé :	Qu'est-ce qu'il y avait dedans ?
Vous :	Il y avait 200 €, ma carte d'identité et des photos.
Employé :	Vous l'avez perdu où ?
Vous :	À l'entrée du Louvre.
Employé :	C'est celui-ci ?
Vous :	Oui. Merci beaucoup.

Employé :	Je peux vous aider ?
Vous :	Oui. J'ai perdu ma veste.
Employé :	Elle est de quelle couleur ?
Vous :	Elle est noire.
Employé :	Elle est neuve ?
Vous :	Oui. Elle est toute neuve.
Employé :	Vous l'avez perdue où ?
Vous :	À l'entrée du métro Monge.
Employé :	C'est celle-ci ?
Vous :	Oui. Merci beaucoup.

Employé :	Je peux vous aider ?
Vous :	Oui. J'ai perdu ma montre.
Employé :	Elle est de quelle couleur ?
Vous :	Elle est en or.
Employé :	Elle est neuve ?
Vous :	Oui. Elle est toute neuve.
Employé :	Vous l'avez perdue où ?
Vous :	Dans les toilettes à l'Hôtel St-Jacques.

Employé :   C'est celle-ci ?
Vous :   Oui. Merci beaucoup.

Unité 31

Exercice 1

1. Je voudrais faire accorder mon piano.
2. Je voudrais faire nettoyer à sec mon costume.
3. Je voudrais faire réparer mes chaussures.
4. Je voudrais faire développer cette pellicule.
5. Je voudrais faire couper mes cheveux.
6. Je voudrais faire réparer cette radio.
7. Je voudrais faire repasser cette chemise.

Unité 32

Exercice 3

Agent de police :   Vous pouvez me dire ce qui s'est passé ? Vous étiez où ?
Vous :   J'étais sur le trottoir.
Agent de police :   Vous alliez où ?
Vous :   J'allais à la gare.
Agent de police :   Racontez-moi ce qui s'est passé.
Vous :   Un cycliste s'est arrêté net.
Agent de police :   Et alors ?
Vous :   La voiture a renversé le cycliste.
Agent de police :   C'était quelle sorte de voiture ?
Vous :   C'était une Porsche rouge.
Agent de Police :   Vous avez vu le numéro ?
Vous :   Malheureusement non.

Useful Irregular Verbs

Infinitiv	Présent	Imparfait	Passé composé	
aller	je vais	j'allais	je suis allé	go
	il va			
battre	je bats	je battais	j'ai battu	hit
	il bat			
boire	je bois	je buvais	j'ai bu	drink
conduire	je conduis	je conduisais	j'ai conduit	drive
connaître	je connais	je connaissais	j'ai connu	know (learn)
	il connaît			
courir	je cours	je courais	j'ai couru	run
couvrir	je couvre	je couvrais	j'ai couvert	cover
craindre	je crains	je craignais	j'ai craint	be afraid of
croire	je crois	je croyais	j'ai cru	believe
croître	je croîs	je croissais	j'ai crû	grow
détruire	je détruis	je détruisais	j'ai détruit	destroy
devoir	je dois	je devais	j'ai dû	have to/must
dire	je dis	je disais	j'ai dit	say
dormir	je dors	je dormais	j'ai dormi	sleep
écrire	j'écris	j'écrivais	j'ai écrit	write
envoyer	j'envoie	j'envoyais	j'ai envoyé	send
faire	je fais	je faisais	j'ai fait	make/do
falloir	il faut	il fallait	il a fallu	be necessary
tuir	je fuis	je fuyais	j'ai fui	flee
haïr	je hais	je haïssais	j'ai haï	hate
interdire	j'interdis	j'interdisais	j'ai interdit	forbid
joindre	je joins	je joignais	j'ai joint	join
lire	je lis	je lisais	j'ai lu	read
mettre	je mets	je mettais	j'ai mis	put, lay
	il met			
naître	je nais	je naissais	je suis né	be born
	il naît			
paraître	je parais	je paraissais	j'ai paru	appear
	il paraît			
partir	je pars	je partais	je suis parti	leave
plaire	je plais	je plaisais	j'ai plû	please
pleuvoir	il pleut	il pleuvait	il a plu	rain
pouvoir	je peux	je pouvais	j'ai pu	be able to
prendre	je prends	je prenais	j'ai pris	take
reconnaître	je reconnais	je reconnaissais	j'ai reconnu	recognise
	il reconnaît			
rire	je ris	je riais	j'ai ri	laugh
savoir	je sais	je savais	j'ai su	know
sentir	je sens	je sentais	j'ai senti	feel
servir	je sers	je servais	j'ai servi	serve
sortir	je sors	je sortais	je suis sorti(e)	go out
suffire	il suffit	il suffisait	il a suffi	suffice
suivre	je suis	je suivais	j'ai suivi	follow
tenir	je tiens	je tenais	j'ai tenu	hold
venir	je viens	je venais	je suis venu	come
vivre	je vis	je vivais	j'ai vécu	live
voir	je vois	je voyais	j'ai vu	see
vouloir	je veux	je voulais	j'ai voulu	want

Alphabetical Vocabulary list

à bientôt	til then	ajouter	to add
à côté de	next to	alarme (f)	alarm
à droite	to the right	Allemagne (f)	Germany
à gauche	to the left	allemand/-e (m/f)	German (m)/German (f)
à la maison	at home		
à l'appareil	speaking (on phone)	aller	to go
		aller-retour (m)	return ticket
à mi-temps	part time	aller simple (m)	single ticket
à pied	on foot	aller à la pêche	to go angling
à plein temps	full-time	aller à la piscine	to go to the swimming pool
à plus tard	see you later		
à tout à l'heure	see you soon	allô	hello
à vélo	by bicycle	allumer	to light
à vrai dire	tell the truth	allumette (f)	match
abandonner	abandon	allure (f)	speed, pace
abeille (f)	bee	amant (m)	lover
abominable	terrible	ami/-e (m/f)	friend (m/f)
absolument	absolutely	ample	ample, roomy
accélération (f)	acceleration	amusant	amusing
accélérer	to accelerate	(s')amuser	to amuse oneself
accent (m)	accent	ancien/-ne	ancient
accepter	accept	anglais/-e (m/f)	Englishman/woman
accident (m)	accident	Angleterre (f)	England
accorder	to match	année (f)	year
(s')accrocher	to collide	anniversaire (m)	birthday
acheter	to buy	anti-alcoolique (m)	person who is anti-alcohol
acteur (m)	actor		
activité (f)	activity	antique	antique
actrice (f)	activity	août (m)	August
actualités (f) (pl)	news	apéritif (m)	aperitif
actuellement	now	appareil de télévision (m)	television set
addition (f)	bill		
admettre	to admit	appareil photo (m)	camera
adorer	to adore	appartement (m)	flat
adresse (f)	address	appeler	to call
aéroport (m)	airport	(s')appeler	to call oneself
affaire (f)	matter, business	appliquer	to apply
affiche (f)	awful	apporter	to bring, give
affreux/-se	awful	apprendre	to learn
âge (m)	age	approprié	appropriate
agence de voyages (f)	travel agent's	après	after
		après-demain	the day after tomorrow
agenda (m)	diary		
agent de police (m)	policeman	après-midi (m)	afternoon
agneau (m)	lamb	arbre généalogique (m)	family tree
agréable	pleasant		
agricole	agricultural	architecte (m)	architect
aider	to help	argent (m)	money
aiguille (f)	needle	arrêt d'autobus (m)	bus stop
ailleurs	elsewhere	arrêter	to stop
aimer	to like	arrivée (f)	arrival

arriver	to arrive	(se) baigner	to bath (oneself)
arriver à faire qqch	manage to do something	bain de soleil (m)	sunbathe
		balayer	to sweep
art (m)	art	balcon (m)	balcony
artichaut (m)	artichoke	banlieue (f)	suburb
artiste (m)	artist	banque (f)	bank
ascenseur (m)	lift	bateau (m)	boat
aspirateur (m)	vacuum cleaner	bâtiment (m)	building
aspirine (f)	aspirin	beau, bel, belle	beautiful
(s')asseoir	to sit down	Beaujolais primeur (m)	first Beaujolais wine
assez	quite		
assiette (f)	plate	beaucoup	a lot
astre (m)	star	bébé (m)	baby
astrologue (m)	astrologer	beige	beige
astronaute (m)	astronaut	belge (m/f)	Belgian
attendre	to wait	bête	stupid
au bout	at the end	bêtise (f)	stupidity
au moins	at least	beurre (m)	butter
au revoir	goodbye	bicyclette (f)	bicycle
au sujet de	about, concerning	bien	good
au verso	on the back (of the page)	bien entendu	of course
		bien sûr	of course
aujourd'hui a	today	bienvenu	welcome
aussi	also	bière (f)	beer
auto-école (f)	driving school	bifteck (m)	steak
automne (f)	autumn	bijou (m)	jewelery
autoroute (f)	motorway	billet (m)	ticket
autre	other	billet aller simple (m)	single ticket
Autriche (f)	Austria		
autrichien (m)	Austrian (m)	billet aller-retour (m)	return ticket
autrichienne (f)	Austrian (f)		
avancement (m)	promotion, advancement	bise (f)	kiss
		blanc/blanche	white
avant	before, in front of	blessé	injured
avantage (m)	advantage	bleu	blue
avant-hier	the day before yesterday	blouse (f)	blouse
		boeuf (m)	beef
avec	with	boire	to drink
avec plaisir	with pleasure	boisé	wooded
avenir (m)	future	boisson (f)	beverage
avertisseur (m)	warning, horn	boîte (f)	can, tin
avion (m)	aeroplane	boiter	to limp
avis (m)	opinion, advice	bombe atomique (f)	atomic bomb
avoir	to have	bon marché	cheap
avoir besoin	to need	bonjour	hello
avoir envie	to want to	bonsoir	good evening
avoir faim	to be hungry	bord (m)	edge, bank
avoir l'air	to look, seem	boucle (f)	buckle
avoir lieu	to take place	boucles d'oreille (f)(pl)	earrings
avoir raison	to be right		
avoir soif	to be thirsty	bouger	to move
avouer	to confess, admit	boulangerie (f)	bakery
avril (m)	April	bourdonnement (m)	humming
baccalauréat (m)	A Levels	bourgeois (m)	bourgeois

bouteille (f)	bottle	celui/celle/ceux/ celles	this/these one(s)
bracelet (m)	bracelet		
bras (m)	arm	ce matin	this morning
bronzé	tanned	ce soir	this evening
(se) bronzer	to sunbathe	célèbre	famous
brosse à cheveux (f)	hairbrush	célibataire	single
brosse à dents (f)	toothbrush	centre (m)	centre
brosser	to brush	certain/-e	certain
brouillard (m)	fog	certains/-nes	certain
brûler	to burn	certainement	certainly
brusque	sudden, brusque	cet après-midi	this afternoon
buffet (m)	buffet	chacun/-e	each
bureau de change (m)	bureau de change	chaîne (f)	channel
		chaîne stéréo (f)	hi-fi system
bureau de poste (m)	post office	chaise (f) (de jardin)	(garden) chair
bus (m)	bus	chambre (f)	room
cabinet (m)	doctor's surgery	chambre à coucher (f)	bedroom
cacah(o)uéte (f)	peanut		
cadeau (m)	present	changer	to change
cadre (m)	frame	changer d'avis	to change one's mind
café (m)	coffee, café		
caissier/caissière (m/f)	cashier	changer de vitesse	to change speed
		charmant/-e	charming
calme	calm	chat (m)	cat
(se) calmer	to calm oneself	château (m)	castle
calorie (f)	calorie	chaud/-e	hot
cambriolage (m)	burglary	chauffeur/-se	driver
cambrioler	to burgle	chaussettes (f) (pl)	socks
cambrioleur (m)	burglar	chaussures (f) (pl)	shoes
camion (m)	lorry	chaussures de foot-ball (f) (pl)	football boots
camionette (f)	van		
campagne (f)	countryside	check-in (m)	check-in
camping (m)	campsite	chef de service (m)	departmental head
candidature (f)	candidacy	chemin (m)	way
caniche (m)	poodle	chemise (f)	shirt
capable	capable	chèque (m)	cheque
caravane (f)	caravan	chèque barré (m)	crossed cheque
carnet de chéque (m)	cheque book	chèque de voyage (m)	traveller's cheque
carré	square	chèque payable au comptant (m)	a cheque to be cashed
carrière (f)	career		
carte bancaire (f)	bank card	cher/chère	expensive
carte de crédit (f)	credit card	chercher	to look for
carte d'identité (f)	identity card	chéri/-e (m/t)	darling
carte des vins (f)	wine list	cheveux (m) (pl)	hair
carte postale	postcard	cheville (f)	ankle
cas d'urgence (m)	emergency	chez	at someone's house
casque (m)	helmet	chic	elegant
cassé	broken	chien/-ne (m/t)	dog
casser	to break	chiffre (m)	number
cathédrale (f)	cathedral	chimique	chemical
cave (f)	cellar	chocolat (m)	chocolate
ce/cette/cet/ces	this	chômage (m)	unemployment
ce n'est pas la peine	there's no point	choquant	shocking

chose (f)	thing	convenable	acceptable
ci-dessous	below	convenir	to be convenient
ciel (m)	heaven	copain/copine (m/f)	friend
cigarette (f)	cigarettes	cortège funèbre (m)	funeral cortege
cinéma (m)	cinema	costume (m)	costume, suit
circulation (f)	traffic	côte (f)	coast
circuler à bicyclette	to cycle	Côte d'Azur (f)	Côte d'Azur
cirer	to polish	côté (f)	side
civilisation (f)	civilisation	coton (m)	cotton
classe (f)	class	(se) coucher	to go to bed
classe touriste (f)	economy class	couleur (f)	colour
clef (f)	key	coup de téléphone	telephone call
clef de contact (f)	ignition key	(m)	
clefs de voiture (f)	car key	coupe (f)	dish, cutting
(pl)		couper	to cut
client/-e (m/f)	customer	courir	to run
clignotant (m)	flashing	courrier (m)	mail
climat (m)	climate	court	short
coeur (m)	heart	cousin/-e (m/f)	cousin
coffre-fort (m)	a safe	coûter	to cost
cognac (m)	cognac	couverture (f)	blanket
coiffeur/-se (m/f)	barber/ hairdresser	cravate (f)	tie
coin (m)	corner	créer	to create
coincidence (f)	coincidence	crème (f)	cream
collègue (m/f)	colleague	croire	to believe
collier (m)	chain, necklace	croisement (m)	crossroads
combien	how much	cuir (m)	leather
comble (m)	packed, height	cuisine (f)	kitchen
comédie (f)	comedy	cycliste (m/f)	cyclist
commercial	commercial	d'abord	first of all
commander	to order	d'accord	agreed
comment	how	d'ailleurs	besides, moreover
compléter	to complete	d'habitude	usually
composer	to compose	dactylo (m/f)	typist
comprendre	to understand	dangereux/-se	dangerous
comprimé (m)	tablet	danser	to dance
compris	included in price	date (f)	date
compteur de vitesse	speedometer	de toute façon	in any case
(m)		débattre	to discuss, debate
concert (m)	concert	début (m)	beginning
concert de jazz (m)	jazz concert	décembre (m)	December
conducteur	bus driver	décrire	to describe
d'autobus (m)		défense (f)	defence
conduire	to drive a car	dégueulasse	lousy, rotten
confirmation (f)	confirmation	dehors	outside
confortable	comfortable	déjà	already
connaître	to know	délaisser	to abandon
conscientieux/-se	conscientious	demain	tomorrow
conseil (m)	advice	demain après-midi	tomorrow after-
conseiller	to recommend,		noon
	advise	demain matin	tomorrow morning
construire	to construct	demain soir	tomorrow evening
content	content, happy	demander	to ask
continuer	to continue	démarrer	to start (a car)

déménager	to move (house)	douche (f)	a shower
demi-heure (f)	half an hour	doué	talented
demi-pension (f)	half board	douleur (f)	pain
dentifrice (m)	toothpaste	doux/douce	mild, sweet
dentiste (m)	dentist	douzaine (f)	dozen
départ (m)	departure	dramatiser	to dramatise
dépasser	to go past	dresser la table	to set the table
(se) dépêcher	to hurry	dur	hard
dépenser	to spend	durer	to last
déposer	to deposit	eau (f)	water
depuis	since	eau minérale (f)	mineral water
déranger	to disturb	école (f)	school
derrière	behind	Écosse (f)	Scotland
désagréable	unpleasant	écouter	to listen to
descendre	to get out	écran (m)	screen
description (f)	description	église (f)	church
désirer	to wish for/desire	élargir	to widen, stretch
désordre (m)	disorder	élève (m/f)	school pupil
dessert (m)	dessert	embêtant	annoying
détester	to hate	embrayage (m)	clutch
(se) détendre	to relax	embrayer	to engage the clutch
détruire	to destroy		
deuil (m)	bereavement	emploi (m)	job/employment
devant	in front of	employé (m)	employee
développer	to develop	employé	office employee
devenir	to become	de bureau (m)	
devoir	to be allowed to	employer	to employ
devoir (m)		emporter	to take (away)
d'habitude	usually	emprunter	to borrow
diarrhée (f)	diarrhoea	en aéroglisseur	hovercraft
dieu (m)	god	en allemand	in German
difficile	difficult	an anglais	in English
difficulté (f)	difficulty	en avion	by aeroplane
dimanche (m)	Sunday	en bateau	by boat
dîner (m)	dinner	en espagnol	in Spanish
dire	to say	en face de	opposite
direct	direct	en ferry	by ferry
directeur/directrice	manager/director	en français	in French
(m/f)		en gênéral	in general
discours (m)	discourse	en italien	in Italian
discuter	to discuss	en noir et blanc	in black and white
disparaître	to disappear	en plein air	in the fresh air
disposer	to arrange, to dispose	en plus	more
		en quantité	in large amounts
disque (m)	a record	en retard	late
distingué	distinguished	en vacances	on holiday
divorcé	divorced	en voiture	by car
docteur (m)	doctor	en vouloir à qqn	to have a grudge against sb
dommage	shame		
donc	therefore	encaisser un	to cash a cheque
donner	to give	chèque	
dormir	to sleep	enceinte	pregnant
dossier de	dossier of candidacy	enchanté	a pleasure
candidature (m)		encore	still, again

222

endroit (m)	place	exagérer	to exagerate
enfant (m)	child	examiner	to examine
enfoncer	to hammer	excellent	excellent
enlever	to remove	(s')excuser	to excuse (oneself)
enregistrement des bagages (m)	check-in	exercer	to exercise, practise
		exercice (m)	exercise
ensemble	together	exotique	exotic
entendre	to hear, listen	explorer	to explore
entendre parler	to hear sb speaking	exprimer	to express
entendu	agreed	extraordinaire	extraordinary
enterrement (m)	burial	(se) fâcher	to get angry
entier/entière	entire	facile	easy
entre	between	façon (f)	way, manner
entrée (f)	starter	facteur (m)	postman
entreprise (f)	firm/enterprise	facture (f)	bill
entrer	to go in/enter	faire	to make/do
(s')entretenir	to maintain, support	faire accorder	to tune
enveloppe (f)	envelope	faire beau	to be nice (weather)
environ	approximately	faire chaud	to be hot
envoyer	to send	faire connaissance avec	to make sb's acquaintance
épeler	to spell		
épinards (m) (pl)	spinach	faire couper	to have cut
époux/-se (m/f)	husband/wife	faire de l'équitation	to ride a horse
épouser	to marry	faire du bricolage	to do handicrafts/ D.I.Y.
équilibré	balance		
escalier (m)	stairs	faire du cheval	to ride a horse
espace (m)	space	faire du jardinage	to do gardening
Espagne (f)	Spain	faire du jogging	to jog
espérer	to hope	faire du ski	to ski
essayer	to try on	faire le constat	to make a state- ment
essuie-glaces (m) (pl)	windscreen wipers		
		faire les courses	to go shopping
est (m)	east	faire partie	to participate
et	and	faire une prome- nade	to go for a walk
(s')établir	to settle		
étage (m)	floor	faire une randonnée	to ramble
état (m)	state	falloir	to be necessary
été (m)	summer	famille (f)	family
éteindre	to switch off	fan (m)	fan
(s')étonner	to surprise	(se) farder	to make oneself up
étranger (m)	foreigner (masc.)	fatigué	tired
étrangère (f)	foreigner (fem.)	faute (f)	mistake / fault
étranger/étrangère	foreign, strange	fauteuil (m)	armchair
être	to be	félicitations (f) (pl)	congratulations
être capable	to be able to	femme (f)	woman
être en mésure	to be on time	femme au foyer (f)	housewife
être en panne	to break down	femme de ménage (f)	cleaner
être en train	to be under way		
être extraterrestre (m)	to be an extra-ter- restrial	fenêtre (f)	window
		fermer	to close
étudiant/-e	student	fermeture (f)	lock /latch
étui (m)	case	fertile	fertile
éviter	to avoid	fête (f)	party
exactement	exactly	feu (m)	fire

feuilleter	to leaf through	grand	large / tall
février (m)	February	grand-mère (f)	grandmother
fièvre (f)	fever	grand-père (m)	grandfather
fille (f)	daughter	gratuit	free
film (m)	film	grave	serious
film (m) en noir et blanc	black and white film	grec/grecque	Greek
		Grèce (f)	Greece
film (m) policier	detective film	grignoter	to nibble
fils (m)	son	grippe (f)	influenza
fin (f)	end / finish	gris	grey
finale (f)	final	grossir	to put on weight
finir	to finish	guêpe (f)	wasp
flacon (m)	bottle	gueule de bois (f)	hangover
flèche (f)	arrow	guide touristique (m)	tourist guide
fleur (f)	flower		
fleuve (m)	river	(s')habiller	to get dressed
forcément	inevitably	habitant/-e (m/f)	inhabitant
forme (f)	form, shape	habiter	to live
former	to form	hareng (m)	herring
fort	strong	heure (f)	hour/o'clock
fou/folie/fous/folles	mad	heure d'arrivée (f)	arrival time
frais/fraîche	fresh	heure de départ (f)	departure time
français/-e (m/f)	French	(se) heurter	to collide
France (f)	France	hier	yesterday
franche	honestly	hier après-midi	yesterday afternoon
frein (m)	brake	hier matin	yesterday morning
freiner	to brake	hier soir	yesterday evening
frère (m)	brother	histoire (f)	story
froid	cold	hiver (m)	winter
fromage (m)	cheese	hôpital (m)	hospital
fruit (m)	fruit	hors-d'oeuvre (m)	starter
fruits (m) (pl)	fruits	hôtel (m)	hotel
fumer	to smoke	hôtesse (f)	hostess
gagner	to win	huile (f)	oil
gants (m) (pl)	gloves	humeur (f)	mood, humour
garage (m)	garage	idée (f)	idea
garantie (f)	guarantee	il y a	there is / are
garçon (m)	waiter	s'imaginer	to imagine
garder	to keep/take care of	immeuble (m)	appartment block
gardien de nuit (m)	night watchman	impatient	impatient
gare (f)	train station	imperméable (m)	raincoat
gâteau (m)	cake	impôt (m)	tax
geler	to freeze	important	important
gémir	to groan	inconvénient (m)	inconvenient
gênant	awkward	indication (f)	indication
généreux/-se	generous	indifférent	indifferent
gens (m) (pl)	people	indiquer	to indicate
gentil/-le	nice	indistinct	indistinct
glace (f)	ice cream	industrie (f)	industry
gosses (m) (pl)	children	industriel/-le	industrial
goûter	to taste	infirmier (m)	male nurse
goutte (f)	drop	infirmière (f)	nurse
graisse (f)	fat	informaticien/-ne (m/f)	computer scientist
gramme (m)	gram		

information (f)	information, news	laisser un message	to take a message
ingénieur (m)	engineer	lait (m)	milk
injuste	unjust	langue (f)	language
(s')inquiéter	to worry	laver	to wash
insolation (f)	sun stroke	leçon (f)	lesson
(s')installer	to settle (in)	leçon de	driving lesson
instant (m)	instant / moment	conduite (f)	
instituteur/institu-	teacher	léger/légère	light
trice (m/f)		légumes (m) (pl)	vegetables
intelligent	intelligent	lent	slowly
intention (f)	intention	lettre (f)	letter
interdit	forbidden	(se) lever	to get up
intéressant	interesting	levier (m)	lever
(s')intéresser	to be interested in	levier de vitesse (m)	gear lever
intérêt (m)	interest	liberté (f)	freedom
interrompre	to interupt	libre	free
interrupteur (m)	switch	(se) limiter	to limit (oneself)
invitation (f)	invitation	limonade (f)	lemonade
inviter qqn	to invite so	linge (m)	linen, underwear
Italie (f)	Italy	liquide	liquid
italien/-ne (m/f)	Italian	lire	to read
jamais	never	liste (f)	list
jambon (m)	ham	lit (m)	bed
janvier (m)	January	litre (m)	litre
jardin (m)	garden	livre (f)	pound
jauge d'essence (f)	petrol gauge	logement (m)	accommodation
jaune	yellow	loin	far
jeu (m)	game	long/-ue	long
jeudi (m)	Thursday	lorsque	when
jeune fille (f)	girl	louer	to rent (out)
joli	pretty/beautiful	lumineux/-se	luminous
jouer	to play	lundi (m)	Monday
jouer au bridge	to play bridge	lunettes (f) (pl)	spectacles
jouer au foot	to play football	lunettes de	sunglasses
jouer au tennis	to play tennis	soleil (f) (pl)	
jouer au tiercé	to bet (at the races)	lycée (m)	grammar school
jouer aux cartes	to play cards	madame (f)	madam
jouer de la guitare	to play guitar	magasin (m)	shop
jouer du piano	to play piano	magazine (m)	magazine
jouer du violon	to play violin	magnifique	wonderful
jour (m)	day	mai (m)	May
journal (m)	newspaper	maigrir	to lose weight
juger	to judge	maillot de bain (m)	swimming costume
juillet (m)	July	maintenant	now
juin (m)	June	maison (f)	house
jupe (f)	skirt	maison	detached house
jus d'orange (m)	orange juice	particulière (f)	
juste	just, fair	mal	bad
kilo (m)	kilo	mal (m)	sorrow, pain
là	there	mal à la gorge	sore throat
là-bas	over there	mal à la jambe	leg pain
laine (f)	wool	mal à la tête	headache
laisser	to leave	mal à l'oreille	earache
laisser tomber	to drop	mal au dos	backache

mal au foie	painful liver	meubles (m) (pl)	furniture
mal au ventre	stomach ache	mieux	better
mal aux dents	toothache	mincir	to get thinner
malade	ill	mobylette (f)	moped
maladie (f)	illness	modèle (m)	model
maladroit	clumsy	moderne (le/la)	modern
malheureusement	unfortunately	moindre	less
manche (f)	sleeve	moins	less
(la) Manche	the English Channel	mois (m)	month
manger	to eat	moniteur (m)	instructor, coach
manquer	to miss	monsieur (m)	Mr
manteau (m)	coat	montagne (f)	mountain
marché aux	flea market	monter	to climb/go up
puces (m)		montre (f)	wrist watch
marcher	to go (to ramble)	(se) moquer	to make fun of
marcher sur	to step on	morceau (m)	piece
mardi (m)	Tuesday	mort (f)	death
mari (m)	husband	mot (m)	word
marié	married	moteur (m)	motor
(se) marier	to get married	moto (f)	motorbike
marque (f)	a make /model	Moulinex (m)	mixer
marrant	funny	mourir	to die
mars (m)	March	moustache (f)	moustache
matérialiste (m)	materialist	moustique (m)	gnat
matérialiste	materialistic	mur (m)	wall
matin (m)	morning	musée (m)	museum
mauvais/-e	bad	musique (f)	music
mayonnaise (f)	mayonnaise	nager	to swim
mécanicien (m)	mechanic	naissance (f)	birth
méchant	naughty	naître	to be born
mécontent	discontented	nappe (f)	tablecloth
médecin (m)	doctor	nationalité (f)	nationality
médicament (m)	medication	nécessaire	necessary
(se) méfier	to mistrust	ne … guère	hardly
membre (m)	member	neiger	to snow
même	same	nerveux/-se	nervous
mémoire (f)	memory	nettoyer	to clean
ménage (m)	household, house-work	neuf /-ve	new
		ni … ni	neither … nor
merci	thank you	niçois	from Nice
mercredi (m)	Wednesday	noir	black
merde	damn / shit	nom (m)	christian name
mère (f)	mother	nom de famille (m)	surname
merveilleux/-se	marvellous	non	no
météo (f)	weather forecast	nord (m)	north
météorologiste (m)/	meteorologist	normal	usually/ normally
meteorologue (m)		nourrir	to feed
metteur en	film/theatre director	novembre (m)	November
scène (m)		numéro (m)	number
mettre	to put	numéro d'immatri-	registration number
(se) mettre	to put oneself	culation (m)	
mettre en marche	to turn on, start up	numéro du vol (m)	flight number
mets (m)	dish	nylon (m)	nylon
meublé	furnished	obtenir	to reach / to obtain

occasion (f)	occasion	(se) passer	to take place
(s')occuper	to deal with	(se) passer de qqch	to do without sth
octobre (m)	October	passer par	to go/drive past
oeuf (m)	egg	pastille (f)	tablet, lozenge
oeuvre (f)	deed, work	pâté (m)	pâté
office de tourisme (m)	tourist information	patient	patient
		pauvre	poor
offrir	to offer	payer	to pay
oignon (m)	onion	pays (m)	country
oncle (m)	uncle	pédale (f)	pedal
optimiste	optimistic	pédale d'accéléra-tion (f)	acceleration pedal
or (m)	gold		
orage (m)	storm	pédale d'em-brayage (f)	clutch pedal
orange (f)	orange		
orchestre (m)	orchestra	pédale de frein (m)	brake pedal
ordinateur (m)	computer	peigne (m)	comb
ordonnance (f)	prescription	peignoir (m)	dressing gown
os (m)	bone	peine (f)	sadness, effort
où	where	peintre (m)	painter
organiser	to organise	peinture (f)	to paint
oublier	to forget	pellicule (f)	camera film
ouest (m)	west	pelouse (f)	lawn
oui	yes	penser	to think
ovni (m)	flying saucer	pensif/-ve	pensive
page (f)	page	pension (f)	bed and breakfast
pain (m)	bread	pension complète (f)	full board
palme (f)	palm (leaf)		
Palme d'or (f)	the Palme d'or	perdre	to lose
pamplemousse (f)	grapefruit	père (m)	father
pantalon (m)	trousers	permanent	constant
papeterie (f)	stationery shop	permanente (f)	perm
paquet (m)	packet /parcel	permis de conduire (m)	driving license
par (an/jour/heure etc.)	per (year/day/hour etc.)		
		permission (f)	permission
par conséquent	therefore	personnalité (f)	personality
par exemple	for example	personne	anyone, anybody
par hasard	luckily	personne (f)	person
par le train	by train	personnel (m)	personel
parapluie (m)	umbrella	persuader	to persuade
parce que	because	peser	to weigh
pardon	sorry	perturbé	perturbed
pare-brise (m)	windscreen	pessimiste	pessimistic
parenthèse (f)	parenthesis	petit	small
parents (m) (pl)	parents	petit déjeuner (m)	breakfast
paresseux/-se	lazy	peu	a bit / little
parfait	perfect	peut-être	maybe / perhaps
parfois	sometimes	pharmacie (f)	pharmacy
parfum (m)	perfume	pharmacien /-ne (m/f)	pharmacist
parking (m)	car park		
parler	to speak	photo (f)	photograph
part (f)/de ma part	share/on my behalf	photographie (f)	photography
passe-temps (m)	hobby, interest	phrase (f)	phrase
passeport (m)	passport	piano (m)	piano
passer	to spend (time)	pièce (f)	piece, room

pièce de rechange (f)	replacement part	préférer	to prefer
pièce d'identité (f)	piece of identification	premier/première	first
		prendre	to take
piéton (m)	pedestrian	prendre au sérieux	to take seriously
piquer	to sting	prendre la défense	to defend
piqûre (f)	sting/bite	prendre le volant	to take the wheel
piscine (f)	swimming pool	prendre place	to take a seat
pittoresque	picturesque	prénom (m)	christian name
place (f)	seat	préparation (f)	preparation
place fumeurs (f)	smoker seat	préparer	to prepare
place non-fumeurs (f)	non-smoker seat	près	near
		présenter	to introduce
		pressé	hurried
plage (f)	beach	prêt	ready
plaisanter	to joke	prévenir	to warn, anticipate
planète (f)	planet	prévoir	to foresee
plastique	plastic	printemps (m)	spring
plat (m)	dish	priorité (f)	right of way
plat principal (m)	main dish	prix (m)	price
plâtre (m)	plaster	probable	probably
plombier (m)	plumber	problème (m)	problem
pleuvoir	to rain	prochain	next
plus	more	produire	to produce
plus tard	later	professeur (m)	teacher
plusieurs	several	profession (f)	profession
plutôt	rather, instead	programme de télévision (m)	television programme
poids (m)	weight		
point de vue (m)	point of view	projet (m)	plan
point mort (m)	neutral	promettre	to promise
pointure (f)	size	prononcer	to pronounce
poire (f)	pear	proposer	to propose
poisson (m)	fish	propre	clean
poli	polite	propriétaire (m)	owner
police (f)	police	prouver	to prove
police d'assurance (f)	insurance policy	provisoire	provisionary
		psychiatre (m)	psychiatrist
pollution (f)	pollution	psychologue (m)	psychologist
pomme (f)	apple	pullover (m)	pullover
pommes frites (f) (pl)	chips	pyjama (m)	pyjamas
		qualification (f)	qualification
pompeux/-se	pompous	quand	when
populaire	popular	quartier (m)	quarter
porc (m)	pork	quel/-le	which
porte (f)	door	quelque/quelques	some
porter le deuil	to be in mourning	quelqu'un	someone
possibilité (f)	possibility	quelque chose	something
possible	possible	(se) quereller	to quarrel
poste (m)	post / job	question (f)	question
poulet (m)	chicken	quitter	to leave
pour	for	quoi	what
pour affaires	on business	quoi qu'il en soit	be that as it may
pourquoi	why	radiateur (m)	radiator
poussière (f)	dust	radio (f)	radio
pouvoir	to be allowed to	ranger	to tidy up

rapide	rapid	retourner	to come back, return
(se) rappeler	to remember	retraité	retired
raquette de tennis (f)	tennis racket	(se) retrouver	to meet up
rare	seldom	rétroviseur (m)	rear-view mirror
rasoir (m)	razor	réunion (f)	meeting
rater	to fail, spoil	réveil (le-matin) (m)	alarm clock
rechercher	to search for	revenir	to come back
récemment	recently	révolution (f)	revolution
réceptionniste (f)	receptionist	Révolution fran- çaise (f)	the French Revolu- tion
recette (f)	recipe	rhume (m)	cold
recommander	to recommend	rideau (m)	curtain
reconnaissant	grateful	rien	nothing
reconnaître	to recognize	rire	to laugh
rectangulaire	rectangular	rivière (f)	river
refaire	to make/do again	robe (f)	dress
réfléchir	to think about	roman (m)	novel
regarder	to look at	rond	round
régime (m)	state control/pro- duction dept/sys- tem, diet	rose (f)	rose
		rouge	red
région (f)	region	rouge à lèvres (m)	lipstick
regretter	to regret	rouler	to wheel/roll along
rejoindre	to rejoin	rue (f)	street, road
(se) rejouir	to be delighted	sac (m)	bag
remercier	to thank	sac-à-dos (m)	rucksack
remplacement (m)	replacement	sacoche (f)	bag
remplacer	to replace	saison (f)	season
remplir	to refill	salade (f)	salad
rencontre (f)	to encounter	salaire (m)	salary
rendez-vous (m)	meeting	sale	dirty
(se) rendre compte	to comply with	salir	to soil
renoncer	to renounce	salle à manger (f)	dining room
renseignement (m)	information	salle de bains (f)	bathroom
(se) renseigner	to make inquiries	salle de séjour (f)	living room
rentrer	to go home	salon (m)	lounge
renverser	to spill	saluer	to greet
réparation (f)	repair	salut	hi
réparer	to repair	salutation (f)	greeting
repas (m)	meal	samedi (m)	Saturday
repasser	to iron	sandwich (m)	sandwich
répéter	to repeat	sans	without
répétition (f)	repitition	santé (f)	health
répondre	to answer	sardine (f)	sardine
réponse (f)	answer	satin (m)	satin
(se) reposer	to rest	satisfaction (f)	satisfaction
représentant (m)	representative	saucisson (m)	sausage
représentation (f)	representation	savoir (m)	knowledge
réserver	to reserve	savon (m)	soap
responsable	responsible	scandale (m)	scandal
restaurant (m)	restaurant	scène (f)	stage, scene
rester	to stay	sculpture (f)	sculpture
résultat (m)	result	séchoir (m)	dryer
(se) retirer	to retire, withdraw	secret/secrète	secret

secrétaire (f)	secretary	Suisse (f)	Switzerland
selon	according to	suivant	following
semaine (f)	week	suivre	to follow
sembler	to seem	sujet (m)	subject
sens (m)	sense	super	great
séparément	separately	superficiel/-le	superficial
septembre (m)	September	supermarché (m)	supermarket
serveuse (f) seul	waitress	supporter	to support, bear
seule/-e	alone	supposer sur	to suppose
seulement	only	sur	on, upon
sévère	severe	sûr	certain
si	whether	sûrement	certainly
signaler	to give a signal	suspension (f)	suspension
signe du zodiaque (m)	sign of the zodiac	syndicat d'initiative (m)	tourist office
signer	to sign	table (f)	table
s'il vous plaît	please	tableau (m)	board
simple	simple	tablette (f)	tablet
sinon	except	tache (f)	stain, spot
snob	snobby	taille (f)	size
soeur (f)	sister	tant	so much
soie (f)	silk	tante (f)	auntie
soigner	to care for/look after	taper	to beat, knock
soir (m)	evening	tapis (m)	carpet
soleil (m)	sun	tapis de table (m)	tablecloth
solliciter (un poste)	to seek, request (a job)	tard	late
		tarte (f)	cake
solution (f)	solution	tarte aux pommes (f)	apple tart
sommeil (m)	sleep		
sonner	to ring	tas (m)	pile, heap
sorte (f)	sort	tasse (f)	cup
sortir	to go out	taxi (m)	taxi
sortir en voiture	to go out in the car	teinture (f)	dye
souci (m)	worries	téléphone (m)	telephone
soucoupe volante (m)	flying saucer	téléphoner	to telephone
		télévision (f)	television set
soulever	to lift (up)	temps (m)	weather
souligner	to underline, emphasize	temps libre (m)	free time
		terrasse (f)	terrasse
soupe (f)	soup	têtu	stubborn
sous	under	thé (m)	tea
souvent	often	théâtre (m)	theatre
spacieux/-se	spacious	tiens!	take this
sport (m)	sport	timbre-poste (m)	postage stamp
stade municipal (m)	stadium	timide	shy
station de métro (f)	underground station	tirer un chèque	to cash a cheque
		tiroir (m)	drawer
station-service (f)	petrol station	toilettes (f) (pl)	toilet
stationner	to park	tomate (f)	tomato
studio (m)	studio	tomber	to fall
stupide	stupid	tomber malade	to become ill
sucre (m)	sugar	tomber sur	to run into/to reach
sucreries (f) (pl)	sweets	tondre	to mow
sud (m)	south	tôt	soon, early

toujours	still/always	vent (m)	wind
tour (f)	tower	vérifier	to check
touriste (m/t)	tourist	vérité (f)	truth
touristique	touristy	verre (m)	glass
tourner	to turn	vert	green
tourner mal	to go wrong	vêtements (m) (pl)	clothing
tout	every	veuve (f)	widow
tout de suite	immediately	viande (f)	meat
tout droit	straight on	vie sociale (f)	social life
trace (f)	track, path	vieux/vieil/vieille	old
traduction (f)	translation	village (m)	village
traduire	to translate	ville (f)	town
tragédie (f)	tragedy	vin (m)	wine
train (m)	train	visa (m)	visa
tranche (f)	slice	visage (m)	face
tranquille	quiet, tranquil	visiter	to visit
travail (m)	work, job	vite	fast
travailler	to work	vitesse (f)	speed
traverser	to cross	vitesses (f) (pl)	gears
tremper	to soak	vivre	to live
très	very	voie (f)	platform
triste	sad	voir	to see
(se) tromper	to make a mistake	voisin/-e (m/f)	neighbour
trop	too	voiture (f)	car
trou (m)	hole	voix (f)	voice
troublé	troubled, agitated	volaille (f)	poultry
trouver	to find	volant (m)	steering wheel
(se) trouver	to be situated	voler	to steal
truc (m)	thing, trick	volumineux/-se	voluminous
truite (f)	trout	vouloir	to want to
tulipe (f)	tulip	voyager	to travel
tunnel (m)	tunnel	voyant (m)	light
tuyau d'échappe-	exhaust pipe	voyant lumineux	warning light
ment (m)		(m)	
univers (m)	universe	vrai	true
usine (f)	factory	vraiment	really
utiliser	to use	vue (f)	view
vacances (f) (pl)	holiday	week-end (m)	weekend
vacant	vacant	yaourt (m)	yoghurt
vaciller	to sway	yoga (m)	yoga
vaisselle (f)	crockery	zapper	to zap
valise (f)	suitcase	zut!	darn (it)!
vallonné	undulating		
vapeur (f)	steam, vapour		
vase (m)	vase		
veau (m)	veal		
vedette (f)	star (person)		
végétarien (m)	vegetarian		
véhicule (m)	vehicule		
vélo (m)	bicycle		
vendeur/-se (m/f)	salesman/woman		
vendredi (m)	Friday		
venir	to come		
venir de faire qqch	to have just done		

Learning Success Test

If you have worked through this language course carefully, you will certainly be able to cope with the following exercises without further ado. Nevertheless, should certain questions pose great difficulties, it is recommended that you repeat the relevant Unités of the course once again.

1.   Add the correct expression for the corresponding receptacle.

1. Un . . . . de café au lait.

2. Une . . . . de chocolat.

3. Une . . . . de thé.

4. Un . . . . de bière.

5. Une . . . . de vin.

6. Une . . . . d'eau.

2.   Pose some personal questions.

1. What is your name?   . . . .

2. Where do you live?   . . . .

3. Where do you come from? . . . .

4. Are you married?   . . . .

5. Do you have children? . . . .

3.   You would like to write a letter home and first of all ask how much the stamps cost, which you need. You buy five of them. Complete your part of the dialogue.

L'employé (E), Vous (X)

E : Je peux vous aider ?

X : . . . .

E : Pour une lettre ou une carte postale ?

X : . . . .

E : Une lettre pour l'Allemagne coûte 50 centimes.

X : . . . .

E : Cela fait 2,50 €.

4.   a) Ask the way to the train station.

. . . .

b) Someone has asked you the way to the theatre. You give the information wanted. Write underneath the pictures what you say.

1. . . . .

2. . . . .

3. . . . .

4. . . . .

5. . . . .

5.   Someone asks your permission. Give your consent (+ or ++) or refuse permission (- or --):

1. Est-ce que je peux emprunter votre bicyclette ? (++)

2. Est-ce que je peux emprunter votre rouge à lèvres ? (--)

3. Est-ce que je peux emprunter votre voiture ? (+)

4. Est-ce que je peux fumer ici ? (--)

5. Est-ce que je peux utiliser votre stylo ? (-)[1]

1 If you have had difficulities up to now, it is recommended to work through Unités 1 to 9 once again.

6. Add the definite article.

1. .... employé.

2. .... conducteur.

3. .... acteur.

4. .... vendeur.

5. .... entrepreneur.

6. .... mécanicien.

7. .... électricien.

7. Add each time the correct form of the verbs in the present tense:

– « Bonjour Monsieur, je peux vous aider ? »

– « Oui, s'il vous plaît. Je voudrais un aller-retour pour Paris ».

– « Qu' .... elle .... (dire) ? »

– « Elle dit qu'elle .... (vouloir) un aller-retour pour Paris ».

– « Savez-vous où .... les billets (être) ? »

– « Oui, je (croire) .... qu'ils .... (être) sur la table ».

– « Les voici »:

– « Merci ».

– « Où (être) .... Gilles ? »

– « Voilà, il .... (venir) ; il .... (avoir) les billets ».

8. Ask:

– Does number 13 go to Place Saint Augustin.

– When does the train to Paris go.

– When does the train arrive in Lyon.

– When does the next train to Calais go.

9. Describe both of the following people.

Marie-France: 21, nice, always good-humoured and very conscientious.

Maurice: 48, rather superficial, impatient and nervous.

10. Add the adverbs *souvent*, *parfois*, *tous les jours* and *jamais* correctly.

1. Je dois prendre la voiture . . . .

2. Il y a tant de circulation que j'ai . . . . besoin de plus d'une heure pour aller travailler.

3. J'arrive . . . . en retard.

4. Mais mes collègues ne me disent . . . . rien.[2]

11. Do you remember the family d'Arville? Then put a cross next to the correct statements.

1. La grand-mère d'Arville est

   a) gravement malade.
   b) veuve depuis un an.
   c) incapable de s'occuper d'elle-même.

2. Jacotte souhaite

   a) laisser sa chambre à sa grand-mère.
   b) faire la cuisine pour sa grand-mère.
   c) baisser sa radio.

3. Jean-Paul est prêt à

   a) dormir sur le canapé-lit.
   b) rendre visite à sa grand-mère dans la maison pour personnes âgées.
   c) accompagner sa grand-mère à l'église.

2 If you had problems with these exercises, you should repeat Unités 10 to 21.

12. Complete the following dialogue. Your toaster is not working. The toast keeps getting burnt.

L'employé du magasin (EM), vous (X).

EM : Bonjour, Madame.

X: ....

EM : Qu'est-ce qu'il a ?

X: ....

EM : Ah, je vois.

X: ....

EM : Je vais voir ce que je peux faire.

X: ....

EM : Revenez mercredi prochain.

X: ....

13. Passé-composé:

a) J' .... (perdre) mon sac à main. Je pense qu'on me l' .... (voler).
La dernière fois que je l' .... (voir), c'était dans l'autobus. Je suis sûre que je
l' .... (ouvrir) quand l'autobus .... (arriver) parce que j' ....
(prendre) les billets. Mais je ne l'ai plus depuis.

b) Describe the lost handbag.

A quoi ressemble-t-il ?

It is brand new, small, angular and out of black leather.

14. What are the past tense forms of the following verbs?

avoir ....

boire ....

comprendre ....

connaître ....

être ....

mettre[3] ....

---

3 If you had difficulties with these exercises, you should repeat Unités 22 to 33.

15. Les OVNIS (Les objets volants non identifiés). Tick the correct statements:

France-Inter, la radio française, a annoncé qu'un ovni avait été vu au-dessus de la ville de Rodez dans le département de l'Aveyron. Un facteur qui circulait à bicyclette avec ses lettres en direction de la petite ville de Primaube a vu cet ovni dans le ciel, vers six heures du matin. Cet objet semblait rester immobile dans le ciel et le facteur avait l'impression que des êtres extra-terrestres l'observaient par les petites fenêtres de la soucoupe volante.

Vers six heures et demie, le même matin, le patron d'un café de Figeac, une autre petite ville, a vu une boule lumineuse qui allait en direction nord-ouest. Cette boule a semblé s'arrêter au-dessus de la ville et le propriétaire du café a entendu un bourdonnement très fort. Il est rentré dans son café pour faire sortir sa femme, mais quand le couple est sorti du café, l'ovni n'était plus là. Le patron du café et le facteur sont allés à la police. Ils ont dit qu'ils pensaient avoir vu une soucoupe volante énorme.

1. La radio française a annoncé:

   a. qu'un ovni survolait la ville de Rodez.
   b. que des extra-terrestres occupaient l'avion.
   c. qu'un employé des postes avait vu un ovni.

2. La soucoupe volante est décrite comme:

   a. un oiseau immobile dans le ciel.
   b. une source de lumière.
   c. un bourdonnement d'insectes.

3. Le facteur, quand il a vu l'ovni:

   a. se rendait à Rodez à bicyclette.
   b. venait de livrer le courrier.
   c. commençait juste sa tournée.

4. Après avoir vu l'ovni, le patron du café:

   a. a décrit l'objet à sa femme.
   b. est allé à la police.
   c. a téléphoné au facteur.

Answer Section

1.
1. Un bol de café au lait.
2. Une tablette de chocolat.
3. Une tasse de thé.
4. Un verre de bière.
5. Une bouteille de vin.
6. Une carafe d'eau.

2.
1. Comment vous appelez-vous ?
2. Où habitez-vous ?
3. D'où venez-vous ?
4. Etes-vous marié ?
5. Avez-vous des enfants ?

3. L'employé (E), Vous (X)

E : Je peux vous aider ?
X : Oui volontiers, quel est le prix d'un timbre poste pour l'Allemagne ?
E : Pour une lettre ou une carte postale ?
X : Pour une lettre.
E : Une lettre pour l'Allemagne coûte 50 centimes.
X : Je voudrais 5 timbres à 50 centimes.
E : Cela fait 2,50 €.

4. a. Pouvez-vous m'indiquer le chemin de la gare ?

b.
1. Vous continuez tout droit jusqu'aux feux.
2. Vous prenez la deuxième rue à droite.
3. Vous tournez à gauche dans la rue du Parc.
4. Le théâtre est à côté de la poste.
5. Le théâtre est en face de la banque.

5.
1. Oui, certainement. Avec plaisir.
2. Pas question !
3. Oui, d'accord (ou bien-sûr).
4. Non, ce n'est pas possible.
5. Non, je regrette.

6.
1. L'employé
2. Le conducteur
3. L'acteur
4. Le vendeur
5. L'entrepreneur
6. Le mécanicien
7. L'électricien

7.
– « Qu'est-ce qu'elle dit ? »
– « Elle dit qu'elle veut un aller-retour pour Paris ».
– « Savez-vous où sont les billets ? »
– « Oui, je crois qu'ils sont sur la table ».
– « Où est Gilles ? »
– « Voilà, il vient ; il a les billets.

8.   – Est-ce que la ligne 13 va à la place Saint-Augustin ?
       – A quelle heure part le train pour Paris ?
       – A quelle heure arrive le train de Lyon ?
       – A quelle heure part le prochain bus pour Calais ?

9.   Marie-France a vingt et un ans, elle est gentille, toujours de bonne humeur et très conscientieuse.

       Maurice a quarante huit ans, il est assez superficiel, impatient et nerveux.

10.   1. Je dois prendre la voiture tous les jours.
        2. Il y a tant de circulation que j'ai souvent besoin de plus d'une heure pour aller travailler.
        3. J'arrive parfois en retard.
        4. Mais mes collègues ne me disent jamais rien.

11.   1. La grand-mère d'Arville est
          b) veuve depuis un an.
        2. Jacotte souhaite
          c) baisser sa radio.
        3. Jean-Paul est prêt à
          a) dormir sur le canapé-lit.

12.   L'employé du magasin (EM), vous (X):
       EM : Bonjour, Madame.
       X :   Mon toasteur est en panne.
       EM : Qu'est-ce qu'il a ?
       X :   Les toasts brûlent toujours dans l'appareil.
       EM : Ah, je vois.
       X :   Vous pouvez me le réparer ?
       EM : Je vais voir ce que je peux faire.
       X :   Il vous faut combien de temps pour le réparer ?
       EM : Revenez mercredi prochain.
       X :   Merci beaucoup.

13.   Passé-composé

       a) J'ai perdu mon sac à main. Je pense qu'on me l'a volé. La dernière fois que je l'ai vu, c'était dans l'autobus. Je suis sûre que je l'ai ouvert quand l'autobus est arrivé parce que j'ai pris les billets. Mais je ne l'ai plus depuis.

       b) A quoi ressemble-t-il ?

       Il est tout neuf, petit, carré, en cuir noir.

14.   avoir (j'avais, j'ai eu)
       boire (je buvais, j'ai bu)
       comprendre (je comprenais, j'ai compris)
       connaître (je connaissais, j'ai connu)
       être (j'étais, j'ai été)
       mettre (je mettais, j'ai mis)

15.   1.c   2.b   3.c   4.b